日本人がコロナ戦争の勝者となる条件

八幡和郎
政治経済評論家／歴史家

まえがき

「『禍を転じて福と為す』、『新型コロナは千載一遇のチャンスだ』という気持ちを持つ者こそがコロナ戦争の勝者となる」

新型コロナウイルスの感染爆発が始まった当初から、私はそういってきました。

それに対して、「不謹慎だ」とか「感染が拡がっている戦いの最中にいうのはやめて、一段落してからにしたら？」という人もいました。

しかし、歴史家としていわせてもらえば、一刻も早く〝戦後〟を構想し、嬉々として青写真を描いた者だけが真の勝者となれるのは自明の理です。

あらゆる災難や不幸は、打撃であると同時にチャンスでもあります。関東大震災のときに復興の先頭に立った後藤新平《ごとうしんぺい》は、余震が続くうちからこれを「千載一遇のチャンスだ」といって復興に臨み、見事な帝都復興事業を成し遂げたのです。

第二次世界大戦の終了から70年余り、世界は長い平和と繁栄を享受してきました。その間、最大の試練となった1973年と1979年の「オイル・ショック」を何とか乗り切り、ついには1989年の東西冷戦の終了という慶事もありました。

グローバリズムの進展もいろいろ問題を引き起こしましたが、総じていえば世界経済の発展と自由の増進にプラスのほうが大きかったといえるでしょう。

その後は、9・11アメリカ同時多発テロ事件（2001年）や、リーマン・ショック（2008年）という世界的な金融危機に震撼したこともありましたが、それでも人々の生活を根本的に脅かすものになることはありませんでした。

しかし、今回の新型コロナウイルス禍は世界の人々の命を脅かし、人々の国境を越えた動きもほとんど停止させ、経済をズタズタにしました。東京五輪2020の延期は、近代五輪が1896年にアテネで開始されてから、二度の世界大戦など戦争による影響でしか中止されたことがないだけに、その重大性が世界大戦並みであることを象徴しています。

世界の人類は、この「戦争」に勝たなくてはなりません。「勝つ」とは、第一義的にはできるだけ被害を小さく、かつ早く終わらせることです。

しかし、戦争に勝った者が本当に「勝利者」なのかは微妙なところです。例えば、「新型コロナとの戦いは戦争である」、「戦争のときに財政のことなど語るな」という人がこの頃増えてきました。

そういう人が引用したがるのは、チャーチルとサッチャーの言葉です。第二次世界大戦の目前、のちにイギリス首相となるウィンストン・チャーチルは「（戦争の準備に関して）いまは財政上の規則にこだわっているときではない」（1939年2月21日下院にて）と演説を行いました。同様に、「鉄の女」の異名で知られるサッチャー首相は1982年のフォークランド紛争のときに財務大臣を関係閣僚会議（戦争内閣《ウォー・キャビネット》）に入れず、「財政上の理由のために（国家を）危うくしたくなかった」といいました。

ただし、これは「何も考えずに戦争にお金を注ぎ込め」ということではなく、「戦時には平時ならあり得ないほどの財政出動も選択肢だ」という話に過ぎません。

逆に、実際に財政を考えずに戦争して国が滅んでしまった例などいくらでも挙げることができます。例えば、フレンチ・インディアン戦争（1755年—1763年）ではイギリスがアメリカの植民地と手を組んでフランスに勝ったものの、イギリスが立て替えた負担をどうするかで植民地と内輪もめに。植民地が反乱したのを今度はフランスが後押しし、結果としてアメリカの独立（1776年）ということになってしまいました。

しかし、フランスはこの戦争でお金を使い過ぎてしまい、増税によって財政の健全化を図ろうとしました。結果的に、民衆の抵抗に遭ってしまい、これを機に大革命が起きてブルボン王朝は滅亡するのです（1792年）。

東アジアの歴史においても、豊臣秀吉の起こした「文禄・慶長の役」で、明軍は秀吉の死で何とか敗北を免れましたが、この戦争での財政赤字を埋めきれずにその後、満州族の清に滅ぼされました。

また、第二次世界大戦において日本やドイツは敗北し、国土は爆撃で破壊されましたが、焼け野原に工場を建て、最新の方式を採り入れて工業国となった一方、勝ったはずの英仏は旧式のままにとどまり、やがて経済力は逆転しました。

今回、日本人はいくら借金をしてもいいと誤解されがちなMMT理論など奇抜な財政理論に毒されたのか、与野党あげてバラマキに狂奔しました。それでも、5月27日に閣議決定された第二次補正予算は、持続化給付金や家賃補助の充実、学生対策など、少しやり過ぎではありますが、的確に困っている人に手を差し伸べるものですし、マイナンバーカード発行の迅速化など前向きな内容も織り込まれています。

こうした騒動は、異常事態が起きたときに国のシステムがうまく動くのかどうかのストレス・テストにもなってきました。しかし戦後、日本は長い平和の中で、そうしたストレス・テストを受けることを免れてきたのです。

それが、今回のコロナ禍でさまざまな問題が露呈することとなった原因です。いや、これはむしろ幸いだったかもしれません。なぜなら、国家が崩壊するほどではない範囲で、リスク管理におけるさまざまな課題が明らかになったのですから。浮かび上がった問題点を、元に戻すより一つひとつ修正して再建すべきなのです。

仮にこの新型コロナが夏までにいったん収束したとしても、また新たな感染の波がやってくるかもしれません。そのときまでまだ数カ月あるとすれば、いまから動き出さないと間に合わないでしょう。

特に東京五輪に関して、世界的な流行が続いているなら仕方ないですが、日本自身が国として新型コロナを制圧できないことを理由に、さらなる延期、あるいは中止などという事態にだけはしたくないところです。それを避けるのをひとつの目標とするのがわかりやすいですし、それをこれからの行動指針にするのがいいと思います。

無事に開催できれば、日本的な生活様式や国民意識の高さがコロナ撃退の原動力であったことも、ポスト・コロナの新しいライフ・スタイルが世界の模範として評価されるべきことも、アピールできることを期待したいと思います。

今回の新型コロナウイルス騒ぎを日本人は災難としか受け取っていませんが、中国などでは社会変革のチャンスと捉えています。短期的には中国の打撃は大きいことは間違いないですが、中長期的に見ると勝者は中国で、日本は敗者になりかねません。今回のコロナ騒動では、台湾は当初から模範的で称賛を浴びました。韓国は、当初は大失敗でしたが、地獄から這い上がって、最初から無理をせずに失敗を避けて上手に乗り切った日本より、皮肉なことに世界から評価されたりしています。

ただ、中国・台湾・韓国は、いずれも世界に冠たる先進的IT社会であり、電子政府化が進む一方、厳しい国民監視国家ですが、今回はそれがよい方向で役に立ちました。それに対して、日本はこの方面の劣等生であり、今回はそのつけを払う羽目になりました。

医療も、日本は平均寿命だけは主要国で一位ですが、異常事態にはスピード感ある対応ができないこともわかりました。

そんな中で、真剣勝負で政府も国民も何を目指すべきかを論じたのが本書です。

目次

第一章

第二章

第三章

日本の医療の光と影が明らかに

第四章

活動の自粛などコロナ対策を総点検……125

第五章

ヨーロッパ、アメリカはコロナでどうなる？……165

第六章

日本よ、いまこそ変革のチャンスだ……191

第七章 「韓国を見習え」は見当外れ～これからの日本が進むべき道とは

第八章

知事・市長の通信簿……247

序章

変革への千載一遇のチャンス

G7首脳 テレビ会議
首相官邸Facebookより

世界が驚く安倍政権と日本の「奇妙な勝利」

世界を震撼させた新型コロナウイルス騒動も、先進国では、小休止へ向かいそうです。安倍政権の対応は、華々しくはないものの中庸を得たもので、都市ロックダウンをせずに済んだし、人口当たりの死者は最低水準だから絶賛に値するはずの数字です。

米外交誌『フォーリン・ポリシー（電子版）』は5月14日に、日本の新型コロナウイルス対策はことごとく見当違いに見えるが、結果的には世界で最も死亡率を低く抑えた国の一つであり、「奇妙な勝利」と伝えました。

日本は中国からの観光客が多く、ソーシャル・ディスタンス（社会的距離）の確保も中途半端、ウイルス検査率も低いものの「死者数が奇跡的に少ない」、「結果は敬服すべきもの」「単に幸運だったのか、政策がよかったのかはわからない」としています。

これに対して、中国メディア『騰訊網』（テンセント系のWEBサイト）は、「日本はアメリカの批判に面しても自信をもって独自の対策を推し進め、勝利を得た」のであり、「これは自信の勝利だ」と称賛しています。

経済産業省OBの朝比奈一郎《あさひないちろう》氏（青山社中社長）は、①検査数と医療機関や隔離場所を調整して医療崩壊を避けた、②要請と自粛だけで対処した、③「命も経済も」とロックダウンを避けたのはよいバランス感覚であり、政府と国民、医療機関等が一体となった「協力」「曖昧（よくいえば中庸）」戦略が機能し、「非常によく振舞った」といった評価をしていますが、妥当なところです。

しかし、流行が収まったとしても、ポスト新型コロナの世界は、数カ月前の世界と同じではありません。元の生活や仕事に戻れなどしないし、戻るべきでもありません。一番顕著なのは、在宅勤務などリモートワークの進展で、企業や個人もいやおうなしに新しい仕事の仕方を覚えたことでしょう。

マイクロソフトのサティア・ナデラCEOは、「2年分に相当するデジタル変革が2カ月で起こるのを見た」といいますが、同社は2020年度第3四半期に同じ季節では過去最大の売上高を上げました。これを聞いて、「首都圏偏重、IT情弱、キャッシュレス、働き方改革など喫緊の課題がこの2カ月で一気に片付こうとしている。壮大な陰謀説が出てくるのも、そういう意味ではわからないではない」とナデラ氏を皮肉ったのは、グルメ評論家としても知られる柏原《かしわばら》光太郎《こうたろう》氏（文藝春秋）です。

新しい世界に順応し、チャンスと捉えられる個人、企業、国は飛躍できるし、後ろ向きにしか捉えられなければ、新しい時代は苦難となるでしょう。本稿では、前向きの希望を中心に考えていきたいと思います。

新型コロナで家庭の価値を再発見

新型コロナウイルス蔓延に伴う外出自粛や在宅勤務のために、人々が自宅で過ごす時間が長くなりました。このことで、家族で話をする時間が増えたことは、総じていいことでした。特に、お父さん（夫）と子供との接触機会が増えました。その結果として夫婦喧嘩になって、コロナ離婚もあるでしょう。しかし、父親は家族の食事が終わったあと帰宅し（日本では男女の帰宅時間に大きな差がある）、休日は疲れて寝てばかりいるのは減りました。父親が勉強を教える機会も増えて、「お父さんはいろんなこと知ってると見直された」という話も聞きます。保育園も受け入れ人数を絞ったので、仕事を持つお母さんは大変でしたが、子供にとっては嬉しかったでしょうし、父親も手伝わざるを得なくなりました。

日本の子育て支援は「保育園の一本足打法」といわれ、私もそれを批判してきました。欧米では、家族（両親など含む）、友人、ベビーシッターなどに応援を求めたり、同一賃金同一労働のおかげで、週3日だけ働いてあとは自分で面倒を見るなどして、多様な形で子育てを支えています。保育料より高いコストを財政で補填するばかりの保育園偏重はおかしいのです。

海外では、オフィスでも個室が多いので、職場に子供を連れて行くとか、自宅で在宅勤務をしながら子供の面倒を見ることも珍しくありません。今回の騒ぎで大部屋のオフィスは見直されるでしょうし、在宅勤務も多くなるから、日本でも状況は変わりそうです。

離れて住んでいる父母との関係では、帰省を止められたのは残念でしたが、Ｚｏｏｍなどのテレビ電話・会議システムを使って、孫たちも一緒に遠隔食事会などをする家庭も増えました。

新型コロナに感染すると、いったん入院したら面会もできず、亡くなっても火葬されて骨壺だけが帰ってくることもあって残酷でしたが、家族との別れが急に来るかもしれないという気持ちにつながり、親や祖父母と話す時間をつくろうという動きになれば幸いです。

しばしば、「死に目に会いたい」といいますが、私は肉親の最期に会えるかよりも、元気なうちに十分に話したかどうかのほうが大事だと思います。アメリカのブッシュ大統領（父）の夫人だったバーバラ・ブッシュが、こんな名言を残しています。

「人生の終わりになったとき、テストに合格しなかったとか、裁判に負けたこと、取引をまとめられなかったことなどを、決して後悔しないでしょう」「夫や子供、友人、あるいは、親とともに過ごさなかった時間を後悔するのです」

今回のコロナ騒動が、日本人に家族と語らう時間の価値を再発見させたのなら嬉しいことです。

結婚についても、婚活パーティーなどが下火になって、広い意味での見合い結婚というか、家族同士の付き合いの中での紹介による相手探しが復活したらいいと思います。

少子化の原因には、妥当な伴侶を見つけるシステムが崩壊したこともあると思います。学校や職場、婚活パーティーで知り合っても、相手について、さまざまな面や周辺状況を知ることが個人情報の壁に阻まれて非常に難しくなっているのは、小室圭《こむろけい》氏と眞子《まこ》様の結婚問題でもわかりました。内親王《ないしんのう》が付き合っている相手の学校以外での顔や親についてほとんど情報がないまま結婚しようとしていたのです。

近年の日本では、人権派といわれる人たちが、完全には破綻していない夫婦関係まで壊し、離婚後には片方の親、なかんずく、父親との関係を完全に断絶させることをビジネスとして教唆《きょうさ》している実態があります。それは、牧野《まきの》のぞみ氏が、『月刊Ｈａｎａｄａプラス』

で「『実子誘拐ビジネス』の闇　人権派弁護士らのあくどい手口」という記事で告発していた通りです。

もうひとつ残念なのは、父方の祖父母と孫の関係が非常に稀薄になっていることです（母方でも同じ町に住んでいない場合は同じです）。まして、子供の離婚後は、父親もそうですが、祖父母もほとんど孫と会えなくなるのは、欧米では考えられないことです。

自分の子供はもちろん、孫や曾孫の成長を見守り、幸福になってもらうべく、財産も残すというのは、人間としての自然な行為であり、否定することは人の道に背くと思いますが、違うのでしょうか。

先祖供養のことももう少し社会的に考えるべきです。いまのようにいとも簡単に無縁仏《むえんぼとけ》が増えることは異常です。少子化の中では、私は夫婦別姓より、複数の家の名を戸籍上引き継ぐ「複合姓」などを検討すべきだと思っています。

リモートワークの定着と地方分散のチャンス

リモートワークの定着は、今回の新型ウイルス騒動で最大のポジティブな遺産となりそうです。在宅勤務、テレワークなどいろんな言い方がありますが、要はインターネットを使ったやりとりで仕事をすることです。

電子申請を受け付けないなど論外ですが、郵便や窓口で書類を出すのを認めていることがすでに国際的には時代遅れです。営業でも足を棒にして訪問して置いてきた名刺の枚数で熱意を認めてもらうとか、テレビ会議ではなんとなく隔靴掻痒《かっかそうよう》であるとかいって、海外でごく当たり前にやれていることが進みませんでした。

社員にＩＴスキルがないとか、社内体制がきちんと組めていないところは別ですが、できるのに惰性で会合にこだわる人が多かったようです。大企業で働いている私の身内の者たちに聞いても、２月に不要不急の出張が禁止され、会議もネットでとなり、これまで定期的な打ち合わせで工場に行っていたのがネット上の打ち合わせに代わったそうです。

工場とか営業とかは体育会系の人が多く、顔を合わせるのを好む傾向がありましたが、仕方なくネットでやってみたら、旧いタイプの人も便利さに気付き、定着しそうだといいます。３月になると、即日で準備を終えて、翌日から出社禁止になったそうです。例外はその日に出張などで出勤していなかった人だけで、そのあと５月中旬まで出勤しなかったといいます。

製品の取り扱い説明講習でも、会場でスクリーンに映し出して実演を見せるより、手元のパソコン画面に映し出したほうがわかりやすいことが発見されました。

年度末のクライアントへの説明もネット会議になりましたが、これまで参加していなかった海外の協力会社の幹部まで出席して議論するようになりました。また、これまでであれば区切りのよいところでまとめて疑問点の指摘をしていたところが、頻繁に問い合わせが来るようになり、テレワークでも暇ではないようです。

採用活動もネット面接ですが、地方在住の大学生にとっては、これまでより断然有利になると噂されています。

何かと印鑑を要求することも、リモートワークの妨げとなることが明らかになり、業界と縁の深いＩＴ担当大臣も流れに抵抗できなくなりました。ネット食事会・飲み会も盛んらしく、朝食会まであるそうです。

リモートで何か支障があるかというと、会社のサーバーのキャパシティがネックになったり、在宅勤務の増加やゲームをする人が増えたせいで住宅地のネットのスピードが落ちたりしていることです。１台のパソコンをめぐり家族で取り合いになることもあるとか。

いずれも急なことだったが故の問題で、今後は改善されるでしょう。

意外に多いのは、自宅の椅子が長時間の作業には向かず、腰が痛くなったとかいうこと。そもそも日本人はもっと家具にお金をかけるべきです。

役所の説明会やヒアリングなど、呼び出し型の行政はこれを機におしまいにしてほしい。公的機関が主催する会議は、ドイツやアメリカなどでは主催者が旅費・宿泊費を出すのが普通です。

リモートワークは、育児や介護などとの両立にも有益です。1週間に3日だけの出勤で十分な仕事は多いはずです。

ただ一般的には、リモートワークは地方分散に資するはずですが、出張禁止が行き過ぎると、地方の人が東京に出て行く機会が減って、不利になる恐れがあります。

首都移転・大阪都構想・中韓だけに依存しない西日本

本当に地方分散に支障がないようにするためには、首都機能を東京から移転して、さまざまな制度を東京人本位の論理から解放することです。

私は1980年代から90年代に堺屋太一、村田敬二郎（元通産相）、須田寛（JR東海）

氏らとともに首都機能移転論を主導した一人でしたが、失敗の原因のひとつとして、東京の過密対策でしかない北関東・東北への移転論も同居していたことがあります。

しかし、いまはリニア新幹線も現実化しつつあるので、沿線で東京と関西の中間のどこか（例えば岐阜県と三重県）に移転するのが一番いいでしょう。日本の人口分布の中心はそのあたりです。

またとりあえずは、さまざまな機能を東西それぞれ独立で動くようにして、東京が機能しなければ、関西が代替できるようにすることも現実的です。

今回の騒動でも東西日本の往来を減らして、どちらかが健在なら片方が厳しい状況でも日本全体が楽になるのにと思うことが多くありました。これが自然災害が原因ならその必要性はもっと高まると思います。

機能二分割の受け皿として、大阪都構想は最適です。ただ、国会や皇居などはむしろ京都をスペアにしたほうがいいでしょう。大阪で独占しようとしては支持が広がりません。京都なら東京人も納得します。

西日本の人口減少が続いていますが、これは、中国や韓国に対する防衛上も大問題で、移民の流入で、西日本は日本人の土地でなくなってしまうことすら杞憂《きゆう》ではありません。

西日本が中国や韓国からの観光客などだけに頼るとか、九州などから海外へ行くのにソウル経由が主要ルートになっているとかいう状態は解消すべきです。そして、産業のUターンなどを通じて自立的な発展が望まれます。

教育の刷新と寒冷地に有利な9月入学の断行

中国でもアメリカでも大学が休校になるとただちにネットで講義が始まりました。フランスでは小学校までネットを使っての授業に切り替わりましたし、韓国では新学期を1カ月遅れの4月9日からネットで開始しました。まず中学3年生と高校3年生の授業を始め、4月中旬以降に、小学生や中学・高校1年生と2年生など順次、開始しました。

一方、日本の立ち後れはひどいものでした。2月の終わりに、安倍首相が3月2日からの休校要請をしました。首長や学校関係者は「突然の話」とあわてましたが、自分の見通しの悪さを恥じるべきです。休校は予想の範囲内だったはずで、準備しておくべきでした。

さすがに大学、特に私立大学は、ネット講義に積極的です。留学生には来日できない人も多いという背景もあります。

幸い各大学にはそれなりにＩＴの専門家がいます。私が教えているふたつの大学でも、新学期はネット講義で開始しました。

さまざまなシステムを試すのですが、試行テストの段階から問題が続出しました。パソコンを持たず、スマホだけの学生が多いので、文書も全部ＰＤＦにして送るしかありません。若者がパソコンを使わないなど国際的に希な状況ですし、大学も許すべきでないのですが仕方ありません。しかし、感染拡大期が春休みだったので、準備もできて、やっとネット講義が日本にも根付くでしょう。

高校以下はまったくひどいものです。韓国にできて日本にはできないのも困りますが、それなら急遽、テレビで学年ごとの授業をやったっていいのです。そして、学校では児童生徒への補助的指導をすればいいだけです。そういう番組の存在は、さまざまな事情で登校できない子供たちにも歓迎されるでしょう。

こうなってしまった原因は３つあります。第一は、森喜朗《もりよしろう》内閣でＩＴ化が最重要課題だったはずが、小泉純一郎《こいずみじゅんいちろう》内閣になって優先順位が落とされたことです。

第二は１９８０年代からの行政改革のあおりで、公的部門のＩＴ投資が遅れネックになったこと。それまでは行政が先を走って民間のモデルになっていたのですが、それ以後は民間の後追いになってしまいました。週休2日制などもそれで遅れた典型で、役所に最新式の設備を入れることができなかったのです。

第三に、IT弱者（個人のリテラシーがないことと、機器を持っていないことの両方の意味）に配慮しすぎた「護送船団方式」です。諸外国では、強制することが多いし、ITを利用しない人が不利になっても仕方ないと割り切るのですが、日本では、みんなが対応してくれるまで待つのです。このために、教育現場のIT化は遅れました。

さて、改革派知事から9月入学にする提案がされています。私は雪が降って交通が乱れ、インフルエンザが流行する冬にセンター試験をすることだけでもよくないと思います。問題点などはわかっているので、議論するより決断して準備に時間を使うべきです。面従腹背《めんじゅうふくはい》で時間稼ぎをして改革を潰すことは、前川喜平《まえかわきへい》元文部科学事務次官に代表される守旧派のお家芸です。

前川氏は、9月入学のメリットはわかっているとしつつ、「優先すべきは学校の再開」「来年から大学を全部9月入学にすると、新入生の検定料、入学金、授業料の入金が5カ月遅れになる」「私学財政には大打撃だ。当然補償が必要になる」などと後ろ向きの理由を並べていますが、どれも工夫できることばかりです。

橋下徹《はしもととおる》氏が「できない理由だけを列挙するダメな官僚の典型」と批判するのは正しいのですが、自民党文教族の中にも守旧派に同調する人が多いのは残念です。

「コロナ戦後」の新しいビジネスチャンスということでは、外食産業にも注目です。外食市場が縮小する中で、漫然と続けるばかりでは将来はありません。

「三密」の典型のような宴会や、客同士と料理人との仕切りがないカウンターは敬遠されるでしょうから、個室や仕切りを増やして対応すべきです。出前も店自身が配達するのでなく、「ウーバーイーツ」のようなものが伸びています。

廃れていたのが復活するものもあります。マイカーは環境問題もあり伸び悩んでいましたが、新型コロナで公共交通機関での混雑が嫌われたことや、ドライブスルー方式のPCR検査が話題になったのが追い風になりました。中古車市場やシェアリングサービスよりも、新車需要が伸びると予想されます。

日本的生活様式が世界で評価される

人口当たりの死亡者数を低い数字に押さえ込めた理由には、日本人の生活様式があります。何よりも清潔好きな国民性です。

お手拭き、ウォシュレット、風呂好き、靴を脱ぐ習慣、ゴミの少なさ、食品衛生へのこだわり、掃除好きなどの特質が貢献しました。

韓国ではキムチなどをテーブルごとに置いて直箸でとり、次の客にも使い回しをします。欧米では、握手するとか、ハグするとか、肩を組むとか、キスをするとかいったあいさつの習慣もあります。

マスクをするのも、スペイン風邪のときに日本で流行したのが中国に伝わり、今回は世界へ広がって世界標準になりました。できれば、もう少しおしゃれなファッションとしての工夫が欲しいところですが。

現在の予定通り２０２１年に東京五輪が開催できれば、世界中がこの日本的な生活様式が感染症に強かった理由だと称賛するに違いありません。

日本が極端な国境閉鎖をせずに、国内の感染を抑え、海外諸国への感染拡大の源にもならなかったことは、日本の国家としての信用をおおいに高めました。

ダイヤモンド・プリンセス号の一件でも、イギリス船籍でアメリカの会社が持ち主のクルーズ船を引き受けて泥を被ったのですから感謝されないはずがありません。

中国に対しても、早すぎる入国禁止措置をせず、中国が一番困っているときに助けました。日本からの支援物資を送った箱に書かれたメッセージ「山川異域　風月同天」（奈良時代の長屋王の詩）には、中国のネットで「感動」「美しい漢字」「漢字文化圏の人間だけがこの文の意味がわかる」などの書き込みが相次ぎました。

新型コロナウイルスで、どの程度、中国に厳しい措置をとるべきだったとか、中国の不手際を追及するべきかについてはいろいろな意見があるでしょうが、日中の絆は深まったと思います。

私はこの騒動を通じて、日本が、中国が困っているときに温かい手を差し伸べてくれる国であることを、中国人が再認識してくれたと思います。一方、中国が国際評価を落としたことは、結果として日本の相対評価を上げることになっています。

天安門事件のあと日本は、中国に相対的には寛容だったし、そのことを向こうも評価し、天皇訪中で日中友好ムードは高まりました。

ところが、日本経済の不振がひどすぎて欧米も中国市場の魅力に惹かれ、江沢民《こうたくみん》がそれに上手に乗じました。

そのときには、まだ欧米は中国の危険性、異質性にあまりにも無頓着というか無知でしたが、今回の騒動で幻想はなくなりました。

そうなれば、日本は欧米にとって、中国より文明国であり、中国にとっては欧米に比べて理解のある国という本来の好ましい立ち位置に戻れるはずです。

日本にとって中国外交をよい立場で展開できる鍵は、何といっても経済再建です。経済大国としての地位がなければ、対中国でも、対第三国でも不利な立場だからです。

韓国・台湾のシステムをそのまま導入すればいい

私はかねてから、マイナンバー制度を強化して、感染防止や助成金の素早い交付に活用すべきと主張してきましたが、今回は韓国の制度を原則そのまま日本に導入することを提案したいと思います。

韓国は2月にいったん地獄を見ましたが、何とか制圧し、ヨーロッパからの第二波を防ぎきったのは、PCR検査を多くしたからではありません。水際対策をきちんとして、入国者・帰国者の2週間移動禁止を徹底し、国民の動きをマイナンバーにリンクした携帯電話の位置情報や支払い状況（韓国はキャッシュレス比率89%）で逐一把握し、感染者が出た場合には、接触した人にすぐ警告していったからです。助成金やマスクの配布も迅速でした。

「すべての指の指紋」「パスポート」「出入国記録」「クレジットカード（利用店情報を含む）」「医療保険」「診察券」「健康診断」「国民年金」「住民票」「戸籍」「徴兵の記録」「運転免許証」「自動車登録」「不動産登記」「所得」「納税」「福祉制度の利用」「銀行口座」「携帯電話（位置情報を含む）」「インターネットの契約と接続」「有料放送加入」「高校・大学の出欠確認・成績証明・卒業証明」がすべてマイナンバーカードに紐付《ひもづ》けられています。

それにより、①被相続人の死亡届を出すだけで相続できる遺産一覧や相続税の額が通知され、②税金還付も自動的に振り込まれ、③資格を満たしている福祉制度があれば行政から案内が来るのですから、便利で好評なはずです。

今回は感染症対策でも活用され、テロ対策としても完璧です。旅行者も携帯電話にアプリを入れさせられて管理されましたが、これがあれば国際的な門戸開放にも危惧が少なくて済みます。

韓国だけでなく、中国、台湾、シンガポールなども似たり寄ったりで、同様の仕組みをもたない日本は同等の利便性やテロ対策、感染症対策をもてません。そこで、私は韓国の制度をそのまま導入したらどうかと思います。もちろん、どうしても嫌な部分は、しかるべき手当てをして代替制度にすればいいのです。

韓国の制度を丸ごと導入するなら、韓国の人も喜ぶし、新型コロナ対策で韓国を誉めていた自称リベラルの言論人たちも異議はないでしょう。

これまで、親韓・親朝といわれる人ほど、マイナンバー制度など行政や徴税の合理化や公正化に必要な制度に反対することが多かったのですが、韓国の「進歩的な政府」で「北朝鮮とも友好関係」にある文在寅《ムンジェイン》政権が新型コロナ対策で世界に誇るような成果を出したのですから、よもや、その制度をそのまま見倣うことに反対しないでしょう。

後藤新平「帝国復興ノ議」の精神で

いずれにせよ、いまの日本では、とりあえず、非常時だから改革はあとまわしにして、「とりあえずみんな助けて、それから再スタート」という気分で一時しのぎの無駄遣いに狂奔しています。

とくに、気になるのは、若い政治家のほうがベテランに比べても、将来の負担増大につながる国債増発に甘かったり、思い切った改革断行に後ろ向きなことで、未来の世代の代表としていかがなものかと心配です。

しかし、大改革は敗戦や大災害の災禍《さいか》の焦土の中からしかできません。新型コロナによる災禍の救援と復興には多大のコストがかかりますが、「禍を転じて福と為す」心意気で取り返すためにこそ使うべきです。

関東大震災が勃発《ぼっぱつ》したのは、１９２３年９月１日ですが、翌日に第二次山本権兵衛《やまもとごんべえ》内閣が成立しています。内務大臣に就任した後藤新平は、９月６日の閣議に「帝国復興ノ議」を提出しました。

「今次の震災は帝都を化して焦土と成し、その惨害言うに忍びざるものありといえども、理想的帝都建設の為真に絶好の機会なり。この機会に際し、よろしく一大英断をもって帝都建設の大策を確立し、これが実現を期せざるべからず。躊躇逡巡《ちゅうちょしゅんじゅん》、この機会を逸せんか国家永遠の悔いを遺すに至るべし」

と、災害が続き亡くなる市民も増える中で勇気ある指針を示し、それは伊東巳代治《いとうみよじ》によって起草され、12日に発布された「帝都復興に関する詔書《しょうしょ》」に反映されました。

先の戦災で、東京は後藤の復興計画のおかげで壊滅から救われました。それでも、昭和天皇は、「後藤新平が非常に膨大な復興計画をたてたが、いろいろの事情でそれが実行されなかったことは非常に残念に思っています。もし、それが実行されていたらば、おそらくこの戦災がもう少し軽く、東京あたりは戦災は非常に軽かったんじゃないかと思って、今さら後藤新平のあのときの計画が実行されないことを非常に残念に思っています」（1983年記者会見）と述懐されています。

そうした悔いを将来の世代にもたせてはならないのです。

第一章

激動の半年を振り返る（2019年–20年）

武漢　黄鶴楼

第一次世界大戦終了から100年目の厄災

新型コロナウイルスがどのように発生し、それがどのように世界に拡がったのか、大量の情報が流れています。しかし、当初から正しい情報が流れていたわけでなく、情報も科学的知見も変遷しているので、ここで少し整理をしてみましょう。

まず、中国の湖北省《こほくしょう》武漢《ぶかん》において急性呼吸器疾患が集団発生したのは、2019年末のことです。

この年は、第一次世界大戦を終結させたベルサイユ条約の締結からちょうど100年目でした。戦死者数、戦闘員900万人、非戦闘員700万人以上という人類史上でかつて例を見ない戦争は、1918年の11月11日にパリ郊外コンピエーニュの森でドイツと連合軍が休戦協定に調印することで一段落していました。

そして、年が変わって1月18日には、フランス外務省で講和条約交渉が始まり、6月28日にはベルサイユ条約が調印されましたが、ドイツの山東《さんとう》半島権益を日本に引き渡すことに抗議した中国代表団は調印に加わりませんでした。

それから1世紀後の2019年は、パリのノートルダム寺院の火災があり、日本では新しい天皇陛下が即位され、香港では民主化運動が盛り上がりを見せた年でした。

中国で新たな感染症の流行が見られるという報道は、日本では12月31日にあったそうですが、一般に知られるようになったのは1月4日にテレビが報じてからです。

ただし、中国での最初の発生は11月といわれています。さらに、その前から存在していたともいわれますが、世界的パニックのきっかけは11月から始まり12月になって知られるようになったという理解でよいと思います。そして２０２０年に入り、この病気は「新型のコロナウイルス」が原因であることが確認されました。

そもそもコロナウイルスは4種類が知られており、いわゆる「風邪」の原因の10〜15%を占めているのが一般的な（ありふれている）コロナウイルスです。

２００２年に中国広東省《かんとん》に発したＳＡＲＳ《サーズ》（重症急性呼吸器症候群）はコウモリ（あるいはハクビシン）から、２０１２年に流行したＭＥＲＳ《マーズ》（中東呼吸器症候群）はヒトコブラクダから、それぞれ人に転移したコロナウイルスでした。

そして、２０１９年に発生した今回のコロナウイルスです。「武漢」や「中国」といった地名、国名は使わない申し合わせがされたことから、「新型コロナウイルス感染症（ＣＯＶＩＤ−19）」と、ＷＨＯによって命名されました。

この疾患は、武漢の海産物や生きた動物を売る「武漢華南海鮮卸売市場」に関連する人たちの間で拡がったので、この市場で扱っている魚や爬虫類、コウモリなどとの関連が疑われました。

このウイルスは医療従事者にまで拡がって医療崩壊を起こしましたが、中国政府が情報公開を十分にしなかったために、世界が事の重大性に気が付くまでに時間を要してしまったのです。

武漢市が人の出入り制限を始めたのは、最初の死者が出てから約2週間後の1月23日のこと。これに先立ってかなりの人数が武漢を脱出したことで感染が中国全土に拡まりました。また、1月24〜30日は中国の春節の休暇期間にも重なり、このときに封じ込めに失敗したのが禍根を残しています。

中国以外では、2月26日に韓国で、続いて29日にはイタリアで感染者が1000人を超えました。

日本では1月16日に最初の患者が確認され、2月13日には最初の死者が出ています。また、2月3日には感染者を乗せた「ダイヤモンド・プリンセス号」が横浜港に入港しましたが、日本政府は上陸を認めませんでした。

ＷＨＯは「中国政府が十分に状況を制御している」としていましたが、３月11日になってようやく「パンデミック相当」との見解を示すことになります。

感染者の症状については、武漢以外については、重症者はほとんど高齢者であり、死亡率もインフルエンザより低いかもしれないという程度の報告でした。ただ、なぜ武漢で急速な拡大をして死者も多く出ているのか、説明がつかず戸惑いをもって受け取られました。

いずれにしろ確かなのは、武漢では「医療崩壊」が起きたことです。つまり、医療関係者が感染するし、病床なども足りなくなって治療を受けられないまま人々が死んでいきました。その中で、徐々に「高熱などの症状が出ない感染者からの感染がある」らしいこと、「感染力が非常に強く、それなりの防御をしているはずの医療関係者が多く感染している」こと、「ウイルスが変異か何かして、非常に強い感染力を持つに至ることがある」ことなどが明らかになってきました。

また、「インフルエンザよりも飛沫が遠くに飛び散ることで感染することもあるらしい」こともわかってきました。治療方法については、明らかに効く薬やワクチンはなく、人工呼吸器以外には対策の打ちようがないこともわかってきたのです。

日本政府は、当初は発病者が出た場合、その周辺を抑え込んでいけば大事に至らないという判断でしたし、外国人観光客の激減は経済にもたらす影響も大きいので、監視を強めつつ、主に武漢・湖北省以外からの入国は規制しませんでした。訪日外国人最多で、春節(旧正月)を前にインバウンド需要の多くの割合を占める中国人を入国制限してしまう決断は経済にとって大打撃になることは明らかでしたし、中国と日本の製造業は世界的なサプライチェーンの基幹です。

習近平《しゅうきんぺい》国家主席の国賓としての訪日が4月に予定されていたからとか、東京五輪開催への影響を気にして決断できなかったのではないかという人もいましたが、その人たちは、日中経済関係の重要性についての認識がないだけです。中国にこだわって欧米との行き来が出来なくなったらどうするのか、という勘違いをする人もいましたが、こと人の往来ということに限れば、日中関係は日米関係よりはるかに大事なものだと断言できます。

ただ、中国政府が自主的に旅行会社経由の旅行を止めたので、観光客は激減しましたが、日本側が入国禁止にしなくても軟着陸になったのです。

当時の頭痛の種は武漢に取り残された日本人の扱いでしたが、良好な日中関係を背景に、諸外国にさきがけて、政府は1月29日から特別機で帰国させることにしました。また、「ダイヤモンド・プリンセス号」については、横浜港沖に停泊している船内で感染者が予想を超える数となり、波紋が広がりました。

政府は2月1日に新型コロナウイルス感染症を感染症法第6条第8項の「指定感染症」に指定しました。そして同日、法務省は湖北省に、続いて13日に浙江省に滞在歴がある外国人などを上陸拒否とします。

さらに14日には「新型コロナウイルス感染症対策専門家会議」を設置し、24日に専門家会議が「この1～2週間が感染拡大に進むか、終息するかの瀬戸際」としたのを受けて、26日に安倍首相がイベントなどの中止・延期を要請。そして、3月2日から首相の要望で全国の学校のほとんどで臨時休校が行われることになりました。

これに対して、野党や偽リベラル系マスコミ（リベラルを名乗っていても、実質的には無責任な極左集団を私はそう呼んでます。くわしくは、拙著『「立憲民主党」「朝日新聞」という名の〝偽リベラル〟』参照）は、この措置を「過剰だ」として批判しました。一斉休校の件に限らず、この頃は政府に比べて、彼らの認識が甘かったのがわかります。それから、中国や韓国からの入国者への2週間待機要請を行ったのが3月5日からです。

いずれにせよ、政府の素早い措置が功を奏して、極端な措置なしに乗り切れるかと見えましたが、3月中旬からイタリアのほかにもヨーロッパでの事態が深刻化し、アメリカや日本に波及が見られるようになりました。これが厄介なことになりました。

また、3月13日には、新型コロナウイルス感染症を新型インフルエンザ等対策特別措置法の対象に加えた特別措置法が参議院にて与野党の賛成多数で可決され、「緊急事態宣言」が可能となりました。

3月28日、安倍首相は「今の段階は緊急事態宣言ではないが、ギリギリ持ちこたえている」として、この段階での緊急事態宣言はしませんでした。しかし4月7日、ついに4月8日から5月6日まで東京都、神奈川県、埼玉県、千葉県、大阪府、兵庫県、福岡県を対象に緊急事態宣言を発出し、16日には全都道府県に対して緊急事態宣言が発出されました。そののち、5月7日以降も引き続き緊急事態宣言が1カ月程度延長されることが表明されましたが、5月14日には、東京都と神奈川県、千葉県、埼玉県、大阪府、京都府、兵庫県、北海道は引き続き緊急事態宣言の対象地域として外出自粛が要請されましたが、他の39県では解除されました。

そして、残りの北海道、埼玉県、千葉県、東京都、神奈川県の5都道県の緊急事態宣言を25日に全面解除しました。

死者数については、5月中旬の段階で、欧米では人口10万当たりベルギーが79人で最悪の数値に。スペイン、イタリア、イギリスでも50人を超えており、フランスが42人、アメリカも27人で、ヨーロッパではドイツの9人の少なさが目立ちます。

一方で、日本と韓国は0・5人超といったところです。韓国のほうが多かったのですが、5月中旬に逆転しました。中国が0・3人ですが、これはいくらなんでも少なすぎです。

死者の数については、自宅や高齢者施設での死者の数が入っていないことが多いという問題もあります。日本の場合は、肺炎での死者はCT検査で原因を特定することが多く行われていますし、死因不明のまま処理することも少ないので、諸外国より見落としは少ないと言われています。

さらに全容を把握するには、原因を問わない死者数全体の対前年比増減も大事です。まだ数字は出ていませんし、外出を控えたのでインフルエンザが減ったとか、逆に病院に行かなかったとか、他の病気の治療が遅れて亡くなる人もいるという要素も入ります。

しかし、いずれにせよ、日本ではいかなる評価方法をとったとしても、社会的な衝撃といえるほど多くの方が亡くなったということはなさそうです。

「三国志」の舞台・武漢での出来事

武漢というのは、日本人にそれほどなじみのある町ではありません。長江《ちょうこう》とその支流である漢江の合流点にあり、武昌《ぶしょう》（長江の右岸。湖北省の省都はここに置かれています）、漢陽《かんよう》、漢口《かんこう》（開港場《かいこうじょう》）の3鎮《ちん》から構成されている長江中流域の中心都市です。

大清帝国《だいしんていこく》を滅ぼすきっかけとなった「辛亥革命《しんがいかくめい》」は、1911年10月10日の武昌での蜂起に始まりました。人口は約1000万人。伝統的な観光名所としては、三国時代の呉の孫権《そんけん》が建造した物見台を再建した「黄鶴楼《こうかくろう》」という望楼《ぼうろう》建築が有名です。

この武漢を含む湖北省は長江中流に位置し、南京《なんきん》市（江蘇《こうそ》省）と重慶《じゅうけい》市の中間にあるといえばわかりやすいでしょうか。省の人口は約6000万人です。

大河の中流の要地ということですから、世界の都市でいえば、ミシシッピ川のセントルイス、ライン川のフランクフルト、ドナウ川のブダペスト、アマゾン川のマナウスといった都市に似た位置付けになります。

そんな武漢で何が起きて新型コロナウイルスのアウトブレイクにつながったのか――それはまだ解明されていません。ただ、もともとコウモリに寄生するウイルスだというのですから、それが人に感染したと思われます。直接なのか、センザンコウのような他の動物を介在したのか、それとも何か人為的な操作が加えられたのか……いまのところ謎となっています。

ただ、コウモリを多く食するのは、華南といわれていた中国南部地域か、さらに海を隔てたインドネシアなので、武漢ではそれほどポピュラーな食べ物ではありません。それを考えると、「食べ物から感染が拡がった」ということは不自然ではあります。「生物兵器が誤って拡散した」という説もあまり確率が高くないようですが、「実験用に使っていた動物が適切な処理で廃棄されなかった」「実験で使っていたウイルスが漏れた」といった程度なら、ないとは断言できません。もちろん、あくまでも可能性としてですが。

それから、私が疑問に思うのは、なぜ非常に凶暴なタイプのウイルスに変異したのかです。断定はできませんが、武漢の一時の地獄やヨーロッパでの大流行を見れば、何か大きな変異があった可能性は高そうです。

薬は、予防のためのワクチンについては来年になる可能性が強いといわれています。治療薬は、日本で開発された富士フイルムの「アビガン」など、他の目的（抗インフルエンザ薬など）に開発された薬で効くものがありそうですが、5月末現在、安心して使えるまでは至っていません。

また、結核予防のためのBCG接種が行われている国は死亡率が低いとか、オリーブ油は重症化の確率を高めるといった説まで出てきました。

「感染がどうして起きるのか?」

「どうしたら感染しないのか?」

そもそも感染の仕組みすらまだ解明されていません。インフルエンザと同じく感染者の唾を通じて目や鼻、口から感染するのは間違いないですが、それなりに距離を取っていても、咳やくしゃみなどから飛沫感染する可能性もありそうです。

しかし、そうした感染の仕組みよりも、感染したからといって必ずしも発症するわけではなく、感染に気付かないまま他の人を感染させるというのがクセ者で、これが状況を難しくしました。

マスクについては、インフルエンザと同様、感染者が着用すると拡散しないという意味はあっても、予防できるほどの効果はないという意見が多数を占めました。ただ、今回は症状の出ていない感染者からもうつるということもあって、アジアだけでなく欧米でもマスクを着けることが一般的となりました。効果が立証されたわけではありませんが。

中国に続いて感染が拡大したのは韓国とイタリアですが、いずれも大きな声で話し、食品衛生に無頓着で、身体的な接触を好む国民性も原因などといわれました。とはいえ、イタリア、スペインで爆発的に拡がり、フランス、イギリスがそれよりはましで、ドイツは死亡率が低いというのも謎です。何しろ、ヨーロッパの中で平均寿命が長い国はスペイン、イタリアですから、医療体制の面からは合理的な説明が付かないままです。

保守的な医療界「生ぬるさ」への切歯扼腕《せっしやくわん》

新型コロナウイルスの感染拡大で、何が一番怖いかといえば、医療現場での感染者急増による「医療崩壊」です。幸い、安倍晋三内閣の対策はそれをよく認識していたという意味では高く評価したいと思います。

イタリアでは、感染者に病院を占領されて救急外来も機能しなくなりました。ただし、入院したところで確実な治療法も特効薬もないので、重症者には気管挿入ぐらいしかやることがないのです。

日本の左派野党と一部メディアが「希望者全員をやれ」と求めるＰＣＲ検査は、感染者の2～3割が陰性と判定（＝偽陰性）されるほど精度が低いため、陰性と判定された感染者が知らず知らず感染を拡大してしまう弊害もあります。

逆に、十分に体制が整わないまま希望者全員の検査を行えば、キャパシティを超えた検査や入院患者の受け入れを強いられる医療機関も出てきます。その上、陽性者のすべてを入院させることになったら、間違いなく医療崩壊を招きます。実際、イタリアや韓国（の一部）ではそれが現実となりました。

発熱や咳、くしゃみ、頭痛、鼻水などの症状が出たとしても、短絡的に新型コロナウイルスの感染を疑うべきではありません。一般的な風邪の可能性も高いので、まずは自宅に引きこもって様子を見るべきです。

そもそも新型コロナウイルスは感染力が強いため、集団感染を避けるためにも、感染の疑いのある場合は普通の病院や診療所に近づくべきでありません。ただの風邪だったのに、病院に行ったせいで新型コロナウイルスに感染することだって十分あり得ます。

当初、「37・5度以上の発熱が4日以上」「強いだるさ（倦怠感）や息苦しさ（呼吸困難）」などを目安に都道府県、市区町村の保健所などに相談すべきとして、PCR検査をむやみに行わない方針は正解でした（ただし、その後、PCR検査能力の拡大が順調に進まなかったことについて、私は厳しく批判していますので混同しないでください）。

また、英国船籍のクルーズ船「ダイヤモンド・プリンセス号」の乗客を上陸させなかったことに批判もありました。しかし、日本語もできない数千人もの感染の疑いがある外国人乗客・乗員を上陸させたら、感染の爆発的な拡大は不可避だったはずです。それに対して医師や看護師、隔離施設などを当てがうコストは耐えがたいものになったでしょう。乗客にとっては辛かったかもしれませんが、とりあえず船内にとどまらせたことだけをとってみても上々の判断でした。

とはいえ、厚生労働省の仕事に私が満足しているわけではありません。元大蔵官僚の加《か》藤勝信《とうかつのぶ》厚生労働大臣は、財務官僚らしく上がってきた情報を上手に取捨選択して手堅く処理しましたが、もっと陣頭指揮型でダイナミックな対策を考案し展開するなど、国民に積極的にアピールする格好のよさもあるに越したことはありませんでしたので、西村康稔《にしむらやすとし》経済再生担当相が法案担当ということで、実質的には現場指揮の司令塔になりました。妥当な決定だったと思います。

しかし、それにしても、残念だったのは、日本の医療界の保守性です。例えば、海外でやっているように、臨時に特例を設けても遠隔医療で診断したり、検査対象者を病院に来させるのではなく、医者に代わって完全防御の看護師が車で訪問して検体を出張採集するなどをやるべきでした。

また、ウイルスがもっと蔓延した場合に備えて、医療従事者の配置転換や、休業中、あるいはまだ研修中の医師や看護師を臨時にどのように動員するか、さらに中国からの医師の受け入れも視野に入れるなど、準備万端整えるべきでした。

このあたりは厚生労働省も含めた医療界全体の姿勢が本当に前向きだったら、もっと火事場のバカ力を出せたのではないでしょうか。一応、積年の課題だった遠隔診療などにも大きく風穴を開けることにはなりましたが、守りの姿勢が強すぎました。

また、海外のニュースを見ていると、医師たちを中心した医療従事者たちの活躍ぶりが目立ちます。〝こういうときに自分が役に立ってこそ医師になったかいがある〟といわんばかりに、専門領域を必要とされて馳せ参じたり、引退していた人が復帰したりしていきます。また、医学生が動員され、人工呼吸器の使い方を一生懸命勉強して、専門医が足りなくなったときに備えていた姿は、まさに十字軍そのものです。

ところが、日本の医師たちは、それぞれの場においてきちんとした対応をし、献身的であったことに疑いはありませんが、積極的な動きも気分の高揚も見られませんでした。

日本では、医師が経済的にも社会的地位にも恵まれた職業になりすぎました。そのため、医学への興味や熱意に欠けていても、成績がよければ医者を目指すような風潮となっていました。その結果、医学に本当に情熱を持つ若者が医師になっていない現状を私は執拗に批判してきましたが、今回のウイルス禍を見ていて、私の危惧が現実になったと感じています。

医学部があまり難しくなかった頃の昔の医者だったら、もっと使命感に燃えて事に当たったと思うのですが、いまの医師からは冷めた反応しか感じられません。お医者さまを大事にする日本では、なかなか医療界への批判は表に出てきませんし、私が批判すると、「お医者さんたちが頑張っているのにひどい」などと攻撃されましたが、お医者さんのうちコロナで忙しくなった方の割合はごくわずかです。

むしろ、衛生意識が向上して風邪を引く人が減ったり、病院に行くのが怖いので患者が減ったりして、病院経営に悪影響が及ぶというので「第二の医療崩壊だ」という声も出る始末でした。そんな余裕があるなら、コロナの現場に投入されるべきなのです。実際、内々に識者といわれる人や政治家と議論すると、「あまり表でいえないが」といいつつ、日本の医療界への厳しい批判で盛り上がるのです。

パンデミックが五輪にまで牙をむく

新型コロナウイルスの感染拡大を受けて、ついに3月24日、「東京2020オリンピック・パラリンピック競技大会」の開催延期が決まりました。

WHO（世界保健機関）のテドロス事務局長が23日の記者会見で「パンデミック（世界的大流行）が加速している」との見解を示すなど感染拡大の収束の見通しが立たない中、計画通りの7月24日の開幕は困難と判断したものです。

安倍首相とともに協議に臨んだ大会組織委員会の森喜朗会長、東京都の小池百合子《こいけゆりこ》知事らを含めた日本側が延期を提案し、国際オリンピック委員会（IOC）のトーマス・バッハ会長が同意したものです。

延期は1年程度と決まりましたが、大会の名前は「東京2020オリンピック・パラリンピック競技大会」のままにするという合意もされました。

近代五輪の124年間の歴史で、2回の世界大戦の最中だった1916年と1944年の開催と、日中戦争の影響により1940年の開催が中止されたことはあっても、開催が延期されるのは今回が初めてのことです。

２０２０東京オリンピックは、早い時期から開催が危ぶまれていました。２月27日の時点では、ＩＯＣのバッハ会長は「推測や仮定の話には答えない。日本政府や大会組織委員会と緊密に連携し、選手や観客の安全を最優先に大会成功へすべての準備をしっかりやっていく」と述べています。

「人類が新型コロナウイルスに打ち勝つ証として、東京オリンピック・パラリンピックを『完全な形で実現する』ということについてＧ７（主要７カ国）の支持を得た」

安倍首相は３月17日未明、史上初のＧ７首脳による緊急テレビ電話会議後、記者団にそう語りました。ＩＯＣも、各国際競技連盟（ＩＦ）と協議を行い、「この段階で決定を行う必要はない。現時点での憶測は非生産的だ」としました。

しかし、新型コロナウイルスの感染は世界中で爆発し、まさに「パンデミック」の様相を呈してきました。日本だけの問題なら思い切った休業などで解決できたかもしれませんが、世界中から選手や観客が東京に集まるのは難しい状況でした。

この時点では、さまざまな選択が提案されていました。「中止」「東京以外での開催」「無観客試合」「縮小開催」「延期」というのが主なところです。

まず、完全な中止というのはＩＯＣも嫌でしょう。無観客試合は、ＩＯＣとしては放映権料が入ってくるので構わないでしょうが、アスリートにはモチベーションの上がらない状況となり、日本としても最悪な選択です。これだと、東京でやる意味は大きく減じます。

一時期、ヨーロッパ（イギリス・ロンドン）での代替開催の案が浮上しましたが、パンデミックの中心がヨーロッパに移ったことから、それは完全になくなりました。他国での代替開催は日本としては避けたいところでした。

五輪中止を画策する反安倍勢力の腹黒さ

私は3月12日に『アゴラ』で「東京五輪の一年延期へ意見集約を急ぐチャンスだ」という記事を書いていますが、その時点で書いたことはほぼすべて当たっていたと思います。

国内ではサッカーのJリーグやバスケットボールのBリーグ、ラグビー・トップリーグで続々と延期・中止が決定されていく中、アメリカのNBAのシーズンも中断されるなど、スポーツイベントは総崩れとなりました。

3月2日からの一斉休校の要請は、3月下旬くらいには一段落して、花見もある程度はできて、ゴールデンウィークの頃にはかなり回復し、五輪から夏休みは完全回復――というシナリオを描いて、安倍首相は勝負所と決断したのでしょう。

しかし、日本で感染が収まればオリンピックが開催できるわけではありません。世界的な感染爆発が収まる見通しがなく、夏から秋に延期した程度では開催もおぼつかないので、来年か再来年に収斂《しゅうれん》するだろうと見ていました。

ただ、２０２２年には北京冬期五輪もありますし、それ以上にＦＩＦＡワールドカップも予定されていることから、東京五輪は来年に延期ということで割と早くコンセンサスが取れるのではないかと予想していました。

オリンピックの延期に関して、左派野党やメディアの一部では安倍首相が予定通りの開催に固執していたとして、「見通しが甘い」といった批判をしていましたが、一年延期へ向けて軟着陸させようとしても、安直に手の内をさらけ出したら日本が損なだけですから、愚かな批判でした。

例えば、2月26日付の『ニューヨーク・タイムズ』（電子版）に上智大学の中野晃一《なかのこういち》教授が「日本はコロナウイルスに対処できない。五輪が開催できるのか？」と寄稿しました。

中野氏は「日本政府の新型コロナウイルスへの対応は驚くほど無能だ」と指摘した上で、「厚生労働省は、感染が疑われる場合に、公的医療機関に連絡する時期や方法について、

2月17日になるまで国民に知らせなかった」などと論じています。

つまり、中野教授は、IOCや競技団体などを、「日本の感染防止策がひどいと有名大学教授もいっているほどだから中止したい」という方向に持って行こうとしたのです。そういう状況では、いつに延期するかについて日本は主導権を取れなくなりますし、費用分担の交渉でも不利になります。

そういう日本にとってふんだりけったりの状況を中野氏らは自分でつくりだして、そして中止になれば、その責任を安倍内閣に問うということをしようとしたのです。まさに「マッチポンプ」という言葉は、この人たちのためにあるようなものです。

東京五輪再順延なら2022年がいいか大検証

順延の決まった2020東京オリンピック・パラリンピックは、3月30日、IOCとIPC（国際パラリンピック委員会）、大会組織委員会、東京都、日本政府が2021年7月23日から8月8日の日程で開催することで合意しました。

この種の判断は、早すぎても遅すぎてもうまくいかないものです。安倍首相は、トランプ米国大統領を説得しＧ７の了解を取り付け、見事に状況を日本に有利なようにコントロールしました。称賛に値します。

「３月末の段階で発表するのは早すぎる」などという米紙の批判もありましたが、それは肉体を武器として戦うアスリートたちへの配慮に欠けた批判でした。早く時期を決めないとコンディション作りの準備・計画ができないし、何よりも代表選考に大きく関わってくる重要事です。仮に２０２２年に２年も先に延期することになると、代表選考をやり直さざるを得なくなり、とても２０２０東京五輪の単純な順延とはいかなくなってしまうからです。

「アスリート・ファースト」というだけで何事も誤魔化しがちな小池百合子都知事の物言いもどうかと思いますが、主役である選手たちへの配慮は不可欠です。

しかし、正直にいえば、現状では２０２１年夏の開催に不安がないわけでもありません。それは安倍首相もＩＯＣも公にいわないだけで、世界的な流行にどう対処するか、さまざまなケースをシミュレーションしているはずです。

例えば、私が一番恐れているのは、選手村で感染が起きるケースです。その規模によっては、選手たちが世界中から集まってから中止に追い込まれる可能性もあるので、そういう事態は何としても避ける必要があります。

そのためには、選手村方式について再検討すべきだと私は思います。例えば、国別に隔離して相互の交流をさせないというのも一案です。

「平和の祭典」にはそぐわない措置ですが、流行が続いている国の選手は隔離したり、2週間以上前の来日を求めたりしてもいいかもしれません。それだと感染の防止や対応も各国の責任になるので効果的だと思います。

選手村は使用するにせよ、世界中の人間が一堂に会する大食堂での食事の提供などは困難になるので、縮小するのは当然で、他の施設に分散するのがいいでしょう。究極的には、各国、日本全国に散らばって宿泊してもらい、試合の日にだけ東京に来るようにするのも一考です。

参加選手の数をかなり減らして、決勝とか決勝トーナメントだけ行うということも選択肢です。もうひとつは、感染をただちに封じ込める態勢を整えることです。少なくとも選手などについては、GPSで行動を完全管理するべきでしょう。

いずれにしろ、国際交流の場としての華やかさは諦めて、感染防止優先で体制を組み直していかなければ、大会の開催はあり得ません。

さらに、これから考えていかなければいけないのは、流行の状況からやはり2021年の開催は無理だという状況になったら、どうするべきかということです。

私は、その場合は「東京2020」は中止にして、「東京2022」とするのがいいと思います。さらに1年順延してしまうと2023年です。翌2024年には次のパリ・オリンピックが控えているので、2年続けてのオリンピックというのは現実的ではありません。そうすると、東京五輪自体が中止ということになってしまいます。8年間も五輪がなくなってしまうので、選手にはあまりに気の毒です。2020年の代表選手の大半は出場のチャンスを失うことでしょう。

2024年にパリ大会を開催するかどうかはフランス次第です。フランスが予定通り2024年というならそれでいいですし、東京五輪を2021年に開催できず1年ずつ順延していくようなケースでは、パリの準備に支障が出る可能性もあるので、パリ大会も1年ないし2年ずらしたほうが楽かもしれません。東京五輪を2023年もしくは2024年にするなら、次のパリ五輪は2026年として、五輪開催年を恒久的に2年ずらしていくのも一考です。あるいは特例として、東京を2022年、パリを2025年、そしてさらに次のロサンゼルスを2028年というように3年おきの開催にするのも悪くない案だと思います。

この件に関しては、マクロン大統領と安倍首相が腹を割って話し合うのがいいのではないでしょうか。要は、オリンピックが完全な中止に追い込まれないために、さまざまな工夫をすることが大事だと思います。

これから日本が復興を進め、感染再拡大を押さえるには、2021年に東京五輪を開催するというわかりやすい目標があります。五輪を開催したいという忖度が新型コロナを蔓延させたという人がいますが、あるとすれば、逆に封じ込めを優先して経済への影響を少し軽視したほうでしょう。世界的な流行が来年も続いていたら仕方ありませんが、日本自身の安全性への疑念で2021年に開催できないことは避けたいところです。

都市封鎖なしで済んだが危機管理の甘さを露呈

新型コロナウイルスの感染拡大を食い止めるため、欧米諸国では「都市封鎖（ロックダウン）」が実施されました。しかし、日本の法律では強制力のある道路・鉄道の封鎖などは不可能です。もちろん、憲法にも「緊急事態条項」などありません。果たして、これでこれからもっと強烈な「死のウイルス」がやって来たら防げるのでしょうか？

日本においても、欧米のような都市封鎖が可能かどうかが論議されました。安倍首相は4月1日の参院予算委員会で「さまざまな要請をさせていただくことになるかもしれないが、フランスなどで行っているものとは性格が違う」と、強制力を伴うことは難しいとの認識を示しました。

確かに、日本は4月7日から緊急事態宣言は出しましたが、厳しい自粛だけでとりあえずはしのげそうでもあります。しかし、そんな悠長なことをいっていられるような楽観視はとてもできないという地獄の淵を見ました。

欧米では「爆発的患者増加（オーバーシュート）」が発生して、医療体制が崩壊して手が付けられなくなりました。ただ、そうはいっても、欧州は隣国の援助が期待できますし、米国は広大ですし地方分権で地域が自立しているので、各州がスピード感のある独自の対応が可能でしょう。一方、日本は国家体制の崩壊につながりかねない危機をはらんでいたし、それはこれからも課題です。

現在の日本国憲法は「緊急事態法制」を想定していません。ただし、逆にいうと、憲法の縛りがないのですから、かえってなんでもできるのかもしれません。

非常時には思い切った法改正「緊急立法」をすればいいともいえます。仮に緊急の法律や政令を強引に施行した場合、その具体的な措置内容が将来、裁判所から「違憲」といわれる可能性はあるでしょう。しかし、日本では法令の施行を事前に阻止されるわけではありません。明らかに違憲でなければ、このような緊急時は仕方ないですし、国民も理解するはずです。

現場ベースでの対応においても、もっと知恵を出すべきです。例えば、さいたまスーパーアリーナ（さいたま市）では3月22日、格闘技イベント「K－1 WORLD GP 2020 JAPAN」が強行されました。私は「警官を大量配置し、関係者や観客に職務質問を繰り返して入場に支障を出させて中止に追い込めばいい」と提案しましたが、やろうと思えばいくらでも方法はあったのではないでしょうか。実際、緊急事態宣言ののちには、夜の街に警官が多く出て、たむろする人たちや、開店しているお店を威圧する場面も見られました。あるいは、一般の人による「自粛警察」といわれる自警団的な動きもありました。

しかし、オーソドックスな法治国家であろうとすれば、緊急事態が憲法でも想定されるべきでしょうし、そこまでしなくても、いつでも発動できる緊急事態法が用意されているべきだと思います。

これまで日本人は天下泰平に甘えてきました。その例が、安倍首相によるマスク2枚の郵送配布についての議論です。中国や欧州、韓国、台湾では、マイナンバー制度（＝住民登録番号制度）が完備され、カード所持は義務となっています。日本ではご存知の通り義務付けられていないこともあり、諸外国とは違い、確実できめ細かい配給制度は無理なのです。迅速に配布しようとすれば、今回のような粗いやり方しかありません。

財政出動にしても、米国やドイツのように健全財政なら思い切って実行できます。ドイツの政府債務はGDP（国内総生産）の0・6倍ですが、日本は2・3倍です。しかも、欧州諸国は増税や社会福祉切り下げ覚悟で清水の舞台から飛び降りました。それでも、ドイツ中部ヘッセン州のトーマス・シェーファー財務相が悲観して自殺したくらいです。

どうして、ドイツと同じような大胆な財政出動ができないのかという人がいますが、①ドイツは財政赤字が少なく余裕がある、②騒動が一段落すれば増税や、ほかの財政支出の大幅カットも受け入れそうで、すでに増税論議も始まっている、③国がお金を出さねば解雇して失業保険給付を受けることになるからそちらの会計がもたない、といったように、まったく事情が違うのです。

日本はマイナンバーだけでなく、社会全体のＩＴ化が遅れており、韓国のように新学期の授業をネットで開始することもできません。

「マイナンバー」「財政規律」「ＩＴ化」――どれをとっても、「弱者保護」「個人の自由」を口実に甘えてきた報いです。

ここは黒船到来時に火事場のバカ力を出したのを見習って、「令和維新」を実現しないと、この国は救われません。

しかし、これを奇貨《きか》として、のちに詳しく論じますが、例えばヨーロッパや韓国、台湾、中国のようにマイナンバーカードを国民全員に持たせることを年内に実現して、来年からは国民へのあらゆる援助措置はそれがないと受けられないようにしてしまえば、来年、第二波、第三波が来ても封じ込められるでしょう。しかも、テロ対策などもはるかに効率的にできるようになるはずです。

第二章

中国・武漢での奇病発生

市場で売られているコウモリ
©Shutterstock

コウモリから悪魔が姿を現した

中国の湖北省武漢市で「原因不明のウイルス性肺炎」として最初の症例が確認されたのが2019年12月のことでした（初の感染者の発生は11月か）。

翌2020年1月に新型のコロナウイルスであることが確認されましたが、その間も武漢市内から中国全土に感染が拡がり、中国以外の国と地域にも拡大していきました。そして1月11日に中国で最初の死者が出て、16日には日本でも感染者が確認されています。

新型コロナウイルスが発生した原因については、大きく分けると以下のような仮説があります。

①もともとどこかで人間に感染していたコロナウイルスが武漢で突然変異した
②武漢で動物を食用などにしているうちに突然変異で人間に感染した
③海外から意図的に持ち込まれた
④武漢の研究所から流出した

このうち②はありそうな話ですが、本書の第一章でも書いた通り、コウモリを食べるのはインドネシアや広東省など華南のほうで盛んで、武漢のある湖北省ではそれほどでもありません。

ただ、中国は動物と人間の距離が近い国です。野生動物もよく食べますし、豚や鶏などを人間の生活の場に近いところで飼育していたりするので、動物由来の感染症は起きやすい状況があるのは間違いありません。

③については、アメリカなどの謀略という説から中国がカナダの研究所から盗んだという説までいろいろありますが、いずれも可能性としては小さいでしょう。

④は生物兵器の研究が原因という話もありますが、可能性が高いのはウイルスを研究している実験室からのヒューマンエラーでの漏洩《ろうえい》です。中でも疑われているのが「中国科学院武漢ウイルス研究所」。コロナウイルスに関する世界的な研究所で、所長はアメリカ帰りの「美人研究者」（出回っている写真は不鮮明なものですが、若くて有力者の夫人だそうです）だといいます。

武漢研究所の安全運営の問題について報じたのは、4月14日付のワシントン・ポスト電子版でした。この武漢ウイルス研究所に関して、アメリカ側が安全性に問題があることに気が付いたのは2年も前のこと。２０１８年、北京のアメリカ大使館の外交官がここを数度訪問し、「コウモリのコロナウイルスに関する危険な研究を行っている研究所の安全性が不十分である」と警告する公電を米政府に2回送っていたというのです。

具体的な内容として、「この研究所には、高度に密閉された研究室の安全運営に必要な、訓練された技術者や調査員が非常に不足している」、「コウモリ由来のコロナウイルスは人に伝染して疾病を引き起こし、将来、コロナウイルスによる感染爆発が起きる可能性がある」というものですか、これが真実であれば、まるで現状を予言しているかのような報告です。

この研究所の研究員が「ＳＡＲＳウイルスとコウモリウイルスを組み合わせることによって、ヒトの気道に感染する新しいタイプのコロナウイルスを作成していた」という説も流布しています。また、その研究所において実験を行った動物やその死骸が十分な注意なしに処分されたのではないかという人もいます。

それらは立証されていませんが、荒唐無稽な笑い話だと片付けられない具体例も明らかになりました。1月3日、農業部門において中国の最高学府である中国農業大学の教授が、「実験を終えた豚や牛、牛乳を、密かに業者に売り渡していた」として実刑判決を受けていたのです。彼はクローン研究の第一人者のスター教授だったといいますから驚くしかありませんし、研究者自身でなくとも職員などは大丈夫かという人もいます。中国の研究所の研究レベルは高いものの、それを支える管理体制が相応なものかどうかについては懸念する人は多いのです。

いずれにせよ、国際的に組織された第三者機関の検証を中国側も受けておいたほうが、あらぬ疑いを持たれるよりよいと思います。

いずれにせよ、中国当局の初期対応は呑気《のんき》なものでした。武漢市当局が発表する前に「原因不明の肺炎患者発生」とネットで最初に警告した医師の李文亮氏を「デマ伝播者」として拘束し、訓戒処分を下したことは知れ渡っています（李氏自身もこの肺炎によって2月6日に亡くなります）。

また、新型肺炎が武漢市内で拡がる最中の1月18日、4万世帯以上（！）が料理を持ち寄って歓談する伝統行事「万家宴」が中止されることなく開催されました。この大宴会の参加者の間に感染が拡がったと指摘されています。

その後、死亡者数が急増し、武漢市以外にも感染が拡がり始めて、ようやく武漢市が人の出入りを制限し始めたのが1月23日になってからです。このときに封じ込めに失敗したことで、世界中に感染は拡がっていったのです。

日本が1月に入国制限をしなかったのは正しかった

日本では当初、新型コロナウイルス感染は武漢でのローカルな流行にとどまるかと思われていました。それが中国全土に拡がり、日本人にも感染者が出始めると「中国との往来を規制しなくてよいか」という議論が出てきました。

しかし日中の往来は、経済的に他の諸外国とのそれに比べてはるかに重要ですし、中国自身が武漢から全国への感染拡大の防止に大胆に取り組んでいましたし、WHOも交流の規制はするべきでないといい、日本は一律の入国禁止には踏み切りませんでした。

それに、中国政府は、1月25日に一切の団体旅行と一部の個人旅行を禁止したことから、日本では中国からの観光旅行者はほとんど見られなくなりました。

日本では、1月21日に外務省が中国全土に感染症危険情報レベル1（注意喚起）を発出し、23日には在中国日本大使館に対策本部を設置しています。そして1月26日、帰国を希望している武漢市滞在の日本人をチャーター機で帰国させることを安倍首相が表明し、さらに1月31日には感染源となった中国・武漢市を含む湖北省からの「入国拒否」を表明します。日本政府は、入国拒否の対象を浙江省にも広げ、2月26日には韓国・大邱《テグ》市などを加えると発表しました。

そして、感染拡大を防ぐ水際対策として、中国（香港、マカオを含む）と韓国からの3月9日以降の入国者に対し、政府指定の施設などで2週間待機することを要請し、中国、韓国に対する査証（ビザ）の効力停止およびビザ免除措置の停止といった措置を始めたのです。また、中国、韓国からの航空機の到着は、成田、関西の両空港に限定し、中国、韓国からの船舶による旅客運送は停止するよう運航事業者に要請も行っています。

一方、米国などでは2月上旬には中国全土からの入国禁止措置に踏み切っていたことから、日本政府の対応を批判する人もいます。しかし、そのせいで国内にウイルスが蔓延したわけでもありませんし、早くに禁止にした欧米でのほうが感染は拡大しています。

習近平訪日と天皇訪中をめぐる緊迫の駆け引き

安倍政権が中国からの入国を一律に禁止しなかったことについては、「中国に配慮すぎだ」、「習近平の来日をキャンセルされないためではないか」、「経済優先だ」という批判がありました。

一般論として、中国に限らず外国との人や物の往来を安直に制限することは友好的ではないですし、相手国が苦しんでいるときにそうした行動に出るのは、それなりに慎重な配慮が必要となります。

習近平国家主席の訪日については、これまで長い間、慎重に準備してきた大きな外交イベントでした。これを中止するとしたら、中国側から「少し延期したい」といってくるのを待つほうがいいに決まっています。「新型コロナ対策で大変でしょうから来日をやめたらどうですか？」と日本側から持ち掛ける必要はまったくなかったですし、それはいくら何でも失礼です。とても品格のある議論とはいえませんでした。

「中国に配慮しすぎだ」などと声を荒げて安倍政権を批判している人たちは、もともと習主席の訪日に反対していた人たちですが、私は同調できません。

1992年に当時の天皇陛下が訪中されていますが、保守系の人はこれもよくなかったといいます。しかし、先の戦争のこともあり、中国人の皇室に対する気持ちには微妙なものがあります。一方で、遣唐使など長い友好関係の歴史もよく知られていますし、皇帝がいなくなった中国人にとって皇室は憧れの的でもあります。イギリス王室がフランスやアメリカで人気があるのと同じですから、日本外交にとって切り札でもあるのです。

そうした中で、1992年の天皇訪中の成功で中国における皇室のイメージはよくなったことは、アジアの平和にとってとてもいいことでした（その後に江沢民が米国に接近して反日路線を採るのを阻止できなかったのはまた別の問題です。日本側のフォローアップにも問題がありました）。

2019年に即位された天皇陛下が、ここ何年かのうちに訪中され、それを成功させることはとても大事なことです。

そのときに、中国側から面倒な要求をされることなく友好的に迎えさせるためにも、習主席の訪日を成功裏に行うことはとても大事なことだと私は思います。保守系の人が習主席訪日を歓迎しないという気持ちはわかりますが、日本の首相が中国で歓迎されるとか、さらには、日本の皇室が中国でよく思われることの重要性も考えるべきだというのが、私の意見です。

天皇を「日王」と呼んだり、「土下座させてやる」などといったりする、韓国がしばしばむき出しにする皇室に対する敵意が、いかに日韓の関係に有害かを考えれば、中国がそういうことをしてこなかったことは評価すべきだと思います。

また、中国との往来禁止を主張する人たちは「アメリカが日本からの入国を制限したら大変なことになる」と危機感をあおっていました。しかし、日本が出入国を制限した場合に一番影響が大きい相手国は、いまやアメリカではなく、中国だということを忘れているのではないでしょうか。

米国とより中国との人的往来が大事だという現実

私は2月中からあえて「米国との行き来が止まるリスクがあっても、中国との往来中止ほどの困ったことにはならない」と主張していました。

もちろん、「中国との出入国を制限するな！」というわけではまったくないことは常に念を押しておきました。ただ、前提となる現状認識が現実離れしていると、まともな議論はできないと思ったわけです。

もうすでに、貿易においてはアメリカより中国とのほうが大きくなっていますし、誰が考えても、アメリカ人の訪日観光客が来なくなるより中国人が来なくなるほうが経済的に痛手となるのは理解できるはずです。

また、日本と中国はサプライチェーンが複雑に絡み合っていて、日本の産業の多くが中国なしで動きません（逆もしかりです）。

日本と中国は距離的に近いこともあり、頻繁に行き来ができることを前提にビジネスを組み立てている人や企業が多いと思います。アメリカであれば現地法人と駐在員に任せるようなことでも、中国であれば物理的に移動することが容易なので出張で済ませることができます。こうした関係から、中国に単身赴任をして家族と別れて住んでいるビジネスマンも多いのです。欧米と違って中国となら年に何度も出張で戻ってこられるからです。

また、新学期になっても中国からの学生が来日できなくなったことで、経営が危うくなる日本の私立大学も出てくるかもしれません。人的な交流を考えても、中国との出入国がなくなることで発生する影響はアメリカとの比ではないのです。

それに、100円ショップやコンビニの棚から商品が姿を消し、働いていた中国人の店員もいなくなり、多岐にわたる食料が不足しかねません。そうすれば、庶民の生活が圧迫されます。また、人手不足も深刻化しますし、中小企業の倒産も増えるでしょう。

京都などで「中国人観光客がいなくなっていい」などといっているのは、不動産収入で暮らしている有閑階級や年金生活者、公務員くらいのものです。しかし、彼らにしても、不動産市場や株式市場が暴落すると、そんな呑気なことはいっていられなくなるに決まっています。

ただし、中国に限りませんが、何事も一カ国だけに依存する「一本足打法」は危険であり、リスクヘッジの大事さが改めてわかったというのは今回の教訓です。

中国人を受け入れている大学にしても、中国人留学生の割合を極端に多くしないように工夫していたところは、打撃は少なくて済んだようです。

そうはいっても、中国市場が今後とも最大の有望市場である現実は変わるはずがありません。というより、逆に中国はこれを契機により強い国になることでしょうから、ますます重要性が増していくことでしょう。

例えば、観光でいえば、これからは、「三密」をもたらすような数で稼ぐ観光は難しくなります。ならば、一人あたり多く支出してくれる観光客が大事なわけで、それは、欧米人でも、韓国人でもないし、まして、修学旅行の高校生でもありません。そういう意味では中国人観光客の重要性はむしろ増すのかもしれません。

安倍首相が新型コロナウイルス感染拡大を防ぐ水際対策として中国と韓国からの入国制

限を強化すると発表したのは3月5日になってからのことでした。この措置について、今になって「遅きに失した」と非難する人もいます。

もちろん、武漢からの観光客を案内したバスの運転手さんの感染とか、都内の屋形船で行った新年会からのタクシー運転手たちのクラスター感染の原因も中国人観光客にあったとかはありましたが、そのあたりまでは、2002年に流行った「SARS（重症急性呼吸器症候群）」や2012年の「MERS（中東呼吸器症候群）」と同じ程度の流行で終息すると誰しもが思っていましたし、結果的にも、それほどの大事には至りませんでした。

一方、あまり早くから観光客の入国まで止めていたら観光業界の打撃はもっと大きなものになっていたはずです。そういう意味では、だいたい、ほどよいバランスの取れた時期の対応だったと今も思っています。

ただ、今後は、感染症に対する水際対策の充実については、テロ対策などとともに大事な課題として取り組んでいくべきことはいうまでもありません。

新型ウイルスで問われる日本の「国家の品格」

アメリカでリベラルと呼ばれる人たちは、保守系の人たちより中国の人権問題などに厳しい立場をとっています。下院議長として野党民主党の党首に近い立場にあるナンシー・ペロシ氏など典型でしょう。

しかし、日本でリベラルと自称する人たちは、中国、北朝鮮、韓国にはともかく甘いのです。特に、中国人らの国粋主義的な歴史観や反日主義にえらく理解を示す人が多いので、私は、日本の健全な民族意識や愛国心には反対するのに、中国人らのもっと過激な国粋思想には共感を示す彼らを「変態右翼」だと呼んでいます。

そして、自称リベラル派は2月くらいまでは中国からの観光客を制限したりすることに反対していたのですが、だんだん、中庸を重視した安倍政権より排外主義となり、これまで散々中国に媚びていた偽リベラル界隈が「安倍政権の対応は手ぬるい」と猛攻撃を始めたのには驚きました。

「媚中熱」も「反安倍という病」に比べるとどうやら無力のようです。親中だったはずの反安倍・偽リベラルは、安倍首相と中国が蜜月になったら反中になりました。ということは、もし安倍首相の訪朝が実現したら反北朝鮮に、安倍首相が韓国と和解したら反韓国といったように、何にでもなるのでしょうか。

そういう意味で、もし新型ウイルスが韓国発であったら、偽リベラルの「媚韓熱」と「反安倍の病」のどちらが強いのか見ものですが、日本の言論界などに深く入り込んだ「コリアン国粋主義」を奉じた「変態右翼」は根性のない「媚中派」より手強いような気もします。

その一方、保守派といわれる人たちに、新型コロナウイルスで困っていたときの中国の人々に対して、困っている人たちへの人道的な温かさを感じられない発言が多く見受けられるのは残念なことでした。

心情的に反中であろうと嫌中であろうと、こうした緊急事態の場合にそれを表に出すのはいかがなものでしょうか。

特に「保守」と自認している人たちは、常日頃「日本人は品格ある国民だ」などと言っているだけに残念です。

それから、「新型コロナ問題で日本が中国を大目に見て配慮しているのだから、中国は尖閣問題ではおとなしくしていろ」という人もいましたが、それは別の問題です。

例えば、東日本大震災のときには台湾が日本に対して温かい手を差し伸べてくれました。しかし、だからといって、日本は尖閣問題で台湾に譲歩したわけではありません。震災や新型コロナウイルスと尖閣問題はまったく別次元の話です。

日本には「敵に塩を送る」という故事があるではありませんか。対立する相手が苦境に立たされているときに、それにつけ込んで相手をたたくのではなく、あえて援助してあげるというのは国の品格の問題です。尖閣問題は尖閣問題として、正々堂々と戦えばいいのです。

中国人の対日観を変える漢詩の力「山川異域　風月同天」

「山川異域　風月同天」

今から1300年ほど前、天武《てんむ》天皇の孫で聖武《しょうむ》天皇の下で最高実力者だった長屋王《ながやおう》が、唐の高僧だった鑑真《がんじん》に献上した千着の袈裟に縫い付けられていたとされる漢詩の一節です。鑑真はこの言葉に心を動かされ、日本に渡って仏法を広める決心をしたと伝わっています。

2月の上旬、中国国内では、日本の支援についての報道やSNSの投稿の際にこの言葉が引用されて、評判になりました。

人民中国雑誌社
@PeopleChina
日本で中国語試験を行うＨＳＫの事務局が湖北高校へ支援物資を送った箱に書かれたメッセージ「山川異域　風月同天」は中国のネットで話題となった。「感動」「美しい漢字」「漢字文化圏の人間だけこの文の意味がわかる」などの書き込みが相次いだ。

この団体が、1月下旬から湖北省内の大学などに支援として送ったマスクや体温計を入れた段ボール箱に貼った紙に書かれているものでした。

奈良時代前半、皇親として嫡流に非常に近い存在で政界の主導者だった長屋王は増長ぶりが反感を買って、聖武天皇の妃・光明子の兄である藤原四兄弟によるクーデターで誅された悲劇の人物です（長屋王の変、729年）。

鑑真の心をも動かしたこの漢詩は「住む場所は異なろうとも、風月の営みは同じ空の下でつながっている」という意味で、日中の絆だけではなく、相手に寄り添い励ます思いが込められています。

このような、媚びることなく親近感を表すアプローチは、中国を相手にした場合に最も効果的です。

ここしばらくの日本に対する中国政府の態度にはいろいろと腹立たしいところはありますが、中国は韓国と違って反日一本槍ではありません。なぜか？

いうまでもなく、韓国とは違って中国と日本は戦争をしました。どちらに非があったのかは置いておいたとしても、彼らの受けた損害のほうが大きいのは間違いありません。そのため、反日感情が強いのは当然なことです。

中国政府はそれを政治利用することもありますが、あまりあおると彼ら自身に跳ね返ってきて制御不能となることは目に見えているので、ある程度ガス抜きが終わると抑えにかかることも多いわけです。

中国が反日一辺倒ではないという例としては、１９７２年の日中国交回復のとき、現代中国語に日本語由来の言葉も多いことを細かく説明して、中国が日本に文化を輸出するばかりでないことを国民に諭したということもありました。

中国にはそのような一面もあるので、観光などを通じて日本の実情を知ってもらえれば、国民レベルで日中関係はおのずとよくなっていくと思います。

　また、それとともに、中国政府が日本への肯定的評価を無理なく国民に対して語りやすくなるような雰囲気を醸成することにもなります。

　そういう意味では、今回のコロナウイルス問題で「日本の対応は温かい」という印象を中国国民に与えたことはとても大きな財産になりました（心がこもった「温かい対応」と、何でもOKという「ルーズな対応」はまったく違います。念のため）。

　もちろん私は中国を大いに警戒もしているし、「一帯一路」の構想などは「大東亜共栄圏」という日本が犯した失敗を繰り返しかねないものだとも思っています。どちらにも悪気はないとしても、アメリカの虎の尾を踏むことは共通です。西太平洋を日本や中国の勢力圏にするという発想はアメリカが受け入れるはずがありません。

　ここで中国との関係が悪くなるのは日本にとって何の得もありませんし、中国の経済発展のおかげで日本経済も平成年間を通じて最悪の事態に陥らずに済んだという事実も、もう少し冷静に評価すべきだと考えます。

　中国と同等の立場となって、今後はいうべきことをいっていくためにも、中国が困っているときこそ、日本は度量の大きいところを見せるべきです。

苦境に陥っている中国に対して、保守派に限らず、「それ見たことか」といわんばかりの言辞を弄するのはバカげていますし、それこそ保守派の大好きな「武士道的美徳」にも背くものではないでしょうか。

また、ここ10年くらいを見ても、中国からの観光客の増加によって、中国政府がどんなに反日教育をしたりしようとも、現実の日本を見たらいい国だし、中国人に対しても日本人は親切で聞いていたのと違うという認識が広まっているのですから、中国人観光客や留学生を嫌うのは愚かです。

武漢からの救援チャーター機を無料にしたのは大失敗

新型コロナウイルス禍に対する日本政府の初期対応で、武漢から帰国する人たちのチャーター機の運賃を無料にしたのは、場当たり的で安直、とてもいい方策とは思えませんでした。そして、これが、のちに10万円給付金や休業補償という「金よこせ一揆」につながってしまったと思っています。

当初は一人につき約8万円を請求する予定だったといいます。しかし、野党や世論が「政府が負担しろ」「8万円は高すぎる」と騒ぐことを考え、攻撃の材料とされないために先手を打ったのでしょうが、これは私がそのとき反対して心配した通り、非常に悪い影響を及ぼす前例となりました。

野党が人気取りのためだけに提言する低レベルな政策を、それほど弊害がなければ、後が面倒くさいので先回りしてやってしまうというようなことを安倍政権はよくやりますが、それは決していいことではないでしょう。

特に今回のチャーター機の件で心配なのは、今後、伝染病に限らず何か有事が起こった際に、自分で避難すればいいような場合でも、「国が何とかしてくれるだろう」と動かなくなることです。事あるごとに「また特別機を出せ！」という圧力が強まる恐れもあることから、悪しき前例となる危険性をはらんでいました。

国民が生命の危機にさらされる緊急事態とまではいかなくても、それなりに危険な状況になった場合に、政府が救出したいといっても、そう簡単にいかないことが多いのは想像がつきます。今回は危険にさらされた国民の数がたまたま多かったので、チャーター機という選択でも合理性がありましたが、そういう事態ばかりではないのはいうまでもありません。

それなのに、どんな場合でも政府がチャーター機を出してくれて、しかもそれが無料だと思われると、それをあてにする気持ちが生じてもおかしくはないでしょう。何か危機的な状況となった場合には、まずはできるだけ自力で脱出する努力をしてくれなくては困ります。火事が起きたときに「いずれ消防が来てくれるから」といって現場から逃げない人がいるでしょうか？　それとまったく同じことです。

もちろん、そういう緊急事態時には格安航空券などは使えないことでしょう。しかし、割高とはいえ十数万円を払って自力で脱出できるのであれば、命に比べたら安いものです。それなのに、「もしかしてタダで国が迎えに来てくれるのではないか」という思いに引きずられると、十数万円が惜しくて決断できずに現地にとどまりかねない輩が出てくる可能性があります。

そこが仮に危険な状況になった場合、本来ならそれは「自己責任」なのですが、偽リベラル野党などは「国が迎えに行かないのが悪い」などと言い立てるに決まっています。その迎えを自衛隊にやらせようものなら、これまた「自衛隊が海外に行くのはけしからん」と、堂々巡りの議論に陥って何も決まりません。

今回は日中関係が非常に良好な時だったので、円滑に特別機を出すことができました。

そういう意味では運がよかったともいえます。しかし、これがもし朝鮮半島での有事発生だったとすると、在韓日本人はそう簡単に帰国できるとは考えられません。

そもそも、世界的に見ても常識的で正当だった日本政府による韓国人の入国制限措置に対してさえ、韓国外交部の康京和《カンギョンファ》長官は「日本の措置は非友好的であるだけでなく、非科学的なもの」と抗議しています。半島有事にでもなれば、韓国政府は日本人の避難に対して意地悪をしてくるに決まっています。そのような場合でも、日本政府がチャーター機を飛ばせるとでも考えているのでしょうか。

今回のようなケースはあくまで例外的措置だと政府が強調しておかないと、世界のどこかで何か起こるたびに政府が特別機を出してくれて、しかも無料なのが当然のことだと思い込まれると、後々大変なことになりかねないのです。

緊急事態ですから、何もキャッシュでチケットを買えなければ搭乗させるなとはいいません。例えば、東日本大震災のときにアメリカが在日の自国民向けにチャーターした避難フライトの告知には、「後から費用を請求する可能性がある」と書いてあったようです。そうした方法を日本政府も踏襲してもよかったのではないでしょうか。

そして、さらにこのときに航空機代を無料にしたことが、自分たちを守るための支出もすべて国に払わせようという風潮のきっかけになったのでないかと改めて思うのです。

あのときは、救援機のことだけの議論でしたが、「気の毒だから払ってやれ」という要求が理屈もなにもなくいったん通ってしまうや、理屈もなにもない「金くれ一揆」の様相を呈することになったわけで、非常に悔やまれるのです。

第三章

日本の医療の光と影が明らかに

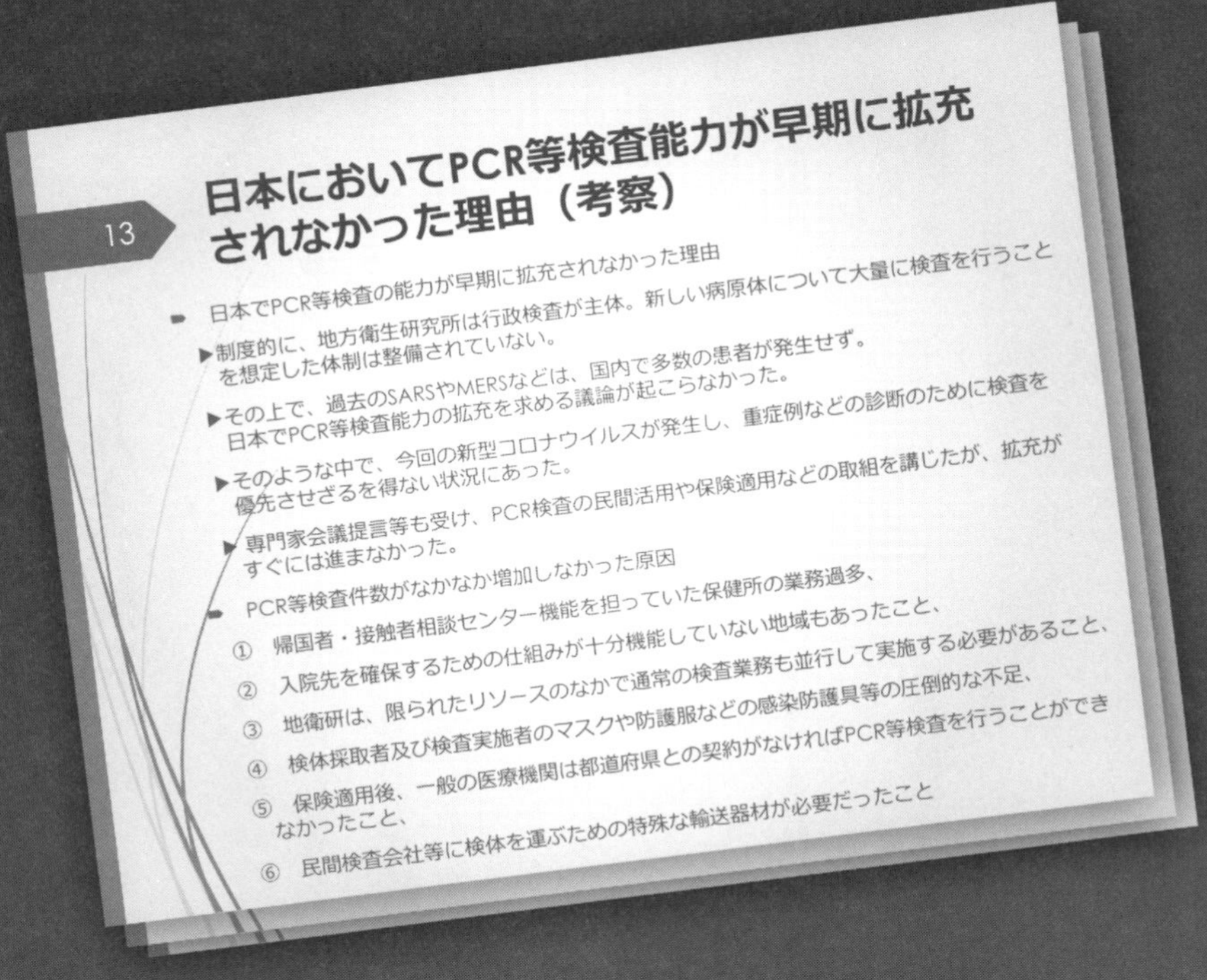
13
日本においてPCR等検査能力が早期に拡充されなかった理由（考察）
日本でPCR等検査の能力が早期に拡充されなかった理由
制度的に、地方衛生研究所は行政検査が主体。新しい病原体について大量に検査を行うことを想定した体制は整備されていない。
その上で、過去のSARSやMERSなどは、国内で多数の患者が発生せず。日本でPCR等検査能力の拡充を求める議論が起こらなかった。
そのような中で、今回の新型コロナウイルスが発生し、重症例などの診断のために検査を優先させざるを得ない状況にあった。
専門家会議提言等も受け、PCR検査の民間活用や保険適用などの取組を講じたが、拡充がすぐには進まなかった。
PCR等検査件数がなかなか増加しなかった原因
① 帰国者・接触者相談センター機能を担っていた保健所の業務過多、
② 入院先を確保するための仕組みが十分機能していない地域もあったこと、
③ 地衛研は、限られたリソースのなかで通常の検査業務も並行して実施する必要があること、
④ 検体採取者及び検査実施者のマスクや防護服などの感染防護具等の圧倒的な不足、
⑤ 保険適用後、一般の医療機関は都道府県との契約がなければPCR等検査を行うことができなかったこと、
⑥ 民間検査会社等に検体を運ぶための特殊な輸送器材が必要だったこと

新型コロナウイルス感染症対策専門家会議
「新型コロナウイルス感染症対策の状況分析・提言（2020/5/4）」より

「日本政府に海外から批判」という〝クルーズ船ねつ造〟報道

1月20日に横浜港から出発したクルーズ客船「ダイヤモンド・プリンセス号」から、香港で下船（1月25日）した香港人男性のウイルス感染を確認したのが2月1日のことでした。3日に横浜港大黒埠頭に移動して長期の検疫体制に入ると他の乗客の感染が続々と判明し、日本政府の指示により5日から同船が横浜港で14日間の隔離措置を開始したのは、ご存知の通りです。

結果として、当初乗船していた3711人の乗客乗員のうち、感染者数は712人で、13人もの方々が死亡しています（5月22日現在）。

乗客や乗員を船内に閉じ込めた処置は間違いではありませんでした。ただ、こんなに感染力が強いとわかっていたら、乗客からどんなに不満が出ても、船内の乗客、乗員、検疫官など同士の接触をもっともっと少なくすべきだったかもしれません。

発症していない乗客も外から鍵をかけて閉じ込めたり、乗員には常に防護服を着せておいたりできれば完璧だったでしょうが、人権や生活の質、精神衛生上の問題もあり、あの時点ではそのあたりのバランスを考えてとった選択でした。

ではここで、日本政府のやり方を支持するとかしないとかをおいておいて、この件について中立的に、国際的な常識に従って整理すると、以下の五つのことがいえると思います。

第一に、船内の感染の拡がりは、想定外というほどではないにせよ、一般的な予想以上でした。

なにしろ、感染者が出てからも乗客は船内での行動を制限されることもなく、バイキング方式での食事提供や派手なパーティーを繰り返してきたクルーズ船の対応に明らかな問題がありました。日本政府が隔離措置を行った当日（2月5日）の早朝までショーなどのイベントが通常通り開催されていたというのですから驚きです。

また、船内の空調の故障などで拡まったという可能性はゼロではありませんが、そのリスクは、特別な病棟でもない限り、ホテルや病院などでも同じく存在します。

第二に、ダイヤモンド・プリンセス号の3711人もの乗員・乗客を日本に上陸させて、一人ひとり隔離するというのは非現実的な話です。とはいえ、実際に1000人を超える日本人も乗っていたのですから、英国船だからといって追い返すのも現実的ではありません。もし日本人だけの上陸を認めてほかは閉じ込めておいたのでは、国際的に非難轟々《ごうごう》でしょうから、結局のところ、全員を船に乗せておくほかなかったのです。

第三に、日本のクルーズ船への対応に関して、「海外マスコミが批判している」という日本のマスコミ報道はほとんどがでっち上げ、ねつ造記事です。
例えば、『現代ビジネス』には飯塚真紀子《いいづかまきこ》氏（在米ジャーナリスト）が「コロナウイルス『日本政府のヤバい危機管理』を世界はこう報じている」（2月18日）という記事で、こんなことを書いていました。

日本政府にはいったい危機管理能力があるのだろうか？　アメリカのメディアはそんな疑問を抱いているに違いない。彼らの報道からは、日本政府に対する不信感がありありと伝わってくる。

勝手にアメリカ・メディアの気持ちを忖度して、想像を膨らませて書いているだけに過ぎないのは文面から明らかです。これぞ悪質なマッチポンプです。ちなみに、この方は、米ワールドトレードセンターの設計者の人生を『9・11の標的をつくった男　天才と差別――建築家ミノル・ヤマサキの生涯』（講談社）というタイトルで本にされていますが、このタイトルだって強い印象操作を感じます。

国際ビジネスマンの真砂太郎《まさごたろう》氏によれば、

NHKは、BBCを始め海外のマスメディアが日本の対応を批判していると、9時のニュースで報じたが、テレビで見る限り、海外メディアの東京特派員に取材し、日本政府の対応を批判した発言をさせて放映したのであって、報道機関として批判したわけではない。BBCのホームページに掲載された記事を見ても、日本の対応を批判してはいない。さすが上位先進国最低の信頼度のNHK。（出典：真砂氏Facebook）

というように、実相はかなり違うことがわかります。

第四に、そもそも未知のウイルス感染者を乗せた船の扱いについて、責任の所在を明確にする決まりがなかったということです。

ダイヤモンド・プリンセス号は、船籍はイギリス、運航はアメリカの会社、航行区域は日本～アジアと、まさに現代を象徴するグローバルなクルーズ船でした。

「【新型肺炎】クルーズ船対応にルールなし　船籍国・英政府の動き見えず」（2月18日・産経新聞）と報じられているように、船籍がある国の政府が責任を持って対応するべきなのかどうかは明文化されていません。前例のない出来事だったのです。

論理的には、まず日本から英国政府にどうするべきかボールを投げて、日本は無理のない範囲で協力するべきだったかもしれません。しかし、「日本が寄港を拒否するのは国際法に違反する」などと押し問答になることも懸念されました。実際に1000人もの日本人乗客がいて、しかも日本近海にいたのですから、英国とチキンレースができたかといえば、それは現実的ではないでしょう。

そして第五として、各国に早い段階で自国民を引き取ってもらえなかったことです。もし、感染の有無にかかわらずそうしてもらえたら、何の問題もありませんでした。

のちに、アメリカが自国民を引き取ることになったのですが、帰国者の一部に感染者が含まれていたため、『ニューヨーク・タイムズ（電子版）』（2月18日・時事通信）は見出しで「感染船を脱出したが、帰国のフライトも安全ではなかった」と報じました。

米政府は当初、感染者はチャーター機に乗せない方針でした。しかし、乗客らが下船し搭乗機に向かうバスに乗った際に、帰国予定者のうち14人にウイルスの陽性反応が出たことが判明したものの、米政府は「症状は出ていない。機内で区分できる」と14人の帰国を認めたのです。

チャーター機に乗って米国に帰国した女性は「(帰国者に感染者がいることを) 上空に至るまで知らなかった」と取材に答えています。同紙は「(帰国者は) 12日間船に閉じ込められた後、必死に避けてきた病原体の保有者と飛行機を共有することになった」と報じ、自国の政府の方策に疑問を投げかけています。

また、感染者をチャーター機に搭乗させたことを事前に知らされていなかったドナルド・トランプ米大統領は激怒したともいいます。

帰国者は、米国でもさらに14日間の隔離措置が取られました。帰国せず船にとどまった米国人男性は、FOXニュースで「残ってよかった」と話していました。

結局のところ、感染の疑いのあるまま乗客たちを日本に上陸させるのは適切でなかったわけですし、上陸させたら、感染の可能性がある人まで含めて各国が自国民をすぐに連れて帰ってくれたわけでもありませんでした。こうしたことを総合的に考えると、乗客にとってはつらかったでしょうが、日本政府が船に乗客を閉じ込めていたことは責められるような話では断じてないのです。

岩田教授は善意だが禁じ手を使い意見を通した

「アフリカにいても中国にいても怖くなかったわけですが、ダイヤモンド・プリンセス号の中はものすごい悲惨な状態で、『心の底から怖い』と思いました。これはもう『COVID－19に感染してもしょうがないんじゃないか』と本気で思いました」

「そもそも常駐してるプロの感染対策の専門家が一人もいない」

2月18日、神戸大学・岩田健太郎教授がダイヤモンド・プリンセス号内の様子について語った動画をYouTubeに日本語と英語でアップして報告し、百万回を超える再生回数を記録したうえに、CNNでも紹介されるなど、大反響を呼びました。

「船内に感染対策のプロがいないのは本当ですか？」というTwitterでの質問に、

ちょっと短期的にいますが意思決定ができない。厚労省の言うことを聞くイエスマンだけが中にいることを許されます

と岩田教授はツイートしています。

私も最初に見たときは非常に強い印象を受けました。しかし、拙速な評価は考え物だと思い、Ｆａｃｅｂｏｏｋで次のように書きました。

「それなりに説得力はあるが、一般論として一方的に自分の意見に固執する医者の意見は眉唾なので慎重に確認することにしています。セカンドオピニオンをよく聞き理解してから参考にしましょう」

岩田先生は自分の気がついた点を採り入れてほしいと思って、そのためには、大げさに騒ぎでもしないと無理だと考えられたのでしょう。

ところが、この件では政治家からマスコミまで岩田氏にあっという間に洗脳されてしまったかのようです。皆さん、米倉涼子主演のドラマ『ドクターＸ〜外科医・大門未知子〜』（テレビ朝日）のような、一匹狼のスーパードクターがお好きなのでしょう。

ある参議院議員も「専門家が決死の告発、記者周辺も感染…国会は桜で、小泉大臣は新年会に出席か」とネットで書いていましたが、別に岩田氏が「決死の告発」などしているわけではありませんし、政治家が扇情的な言葉で対応するのはよくありません。

岩田氏は、この分野における最高権威みたいな紹介をマスコミはしたのですが、そういうわけでもなさそうでした。ある医療関係者は「細菌感染症、特に抗菌薬の専門家ではあることは確かで、専門分野である細菌感染症や抗菌薬の適切利用についての啓蒙活動はそれなりに評価されてはいるし、医療現場の人でもシンパは多い」とする一方で、「ナルシストで、専門外の分野や専門分野でもやや弱いところも知ったかぶりをするという批判もあるし、感染症治療についてそんなに強いのだろうか」と評していました。

それに、新型コロナウイルスについては、ニュースサイト『BLOGOS』などで「『〈新型肺炎〉日本の対策は大間違い』、は大間違い」（2月5日）という主張を展開したり、「騒ぎすぎだ」という方向で過激な論陣を張ってこられたようです。

また、岩田氏のYouTubeでは、ダイヤモンド・プリンセス号の乗客の発熱・発症記録を「全然取ってない」と過激に批判していますが、それは誤認で、きちんと取られていることがわかりました。この記録に基づき、流行曲線（エピカーブ）が作成され、2月19日に国立感染症研究所が「現場からの概況：ダイアモンドプリンセス号におけるCOVID－19症例」として発表しています。

これによると、2月5日以前にほとんどの発症者が感染しており、2月5日以降に船内で感染したのは乗務員と例外的な乗客に限定されているようです。厚生労働省の不手際が多くの感染者を出した原因ではないのです。

厚生労働省の対応が100点満点だったわけでありませんし、岩田氏は自分が海外のメディアを使って騒いだ結果、船内の態勢が改善されたからよかったという考えのようでしたが、一般的に、完全な誹謗とまではいえなくとも、実態以上にひどい印象を与えるような表現の仕方で問題を告発することは、社会的な常識として「印象操作」といわれる禁じ手です。それによって、自説を通すのは、その目的がいかによいことでも許されません。

さらに、岩田氏は船内での感染拡大が検疫開始以降の不手際によるものと仰ってはいませんでしたが、そう誤解されることを承知で書かれているという印象がありました。検疫開始前のフェアウェルパーティーなどの無防備さを考えれば、検疫開始後の体制が万全でなかったとしても、どちらが大きい原因かは常識で考えて明らかだったのです。

日本政府が一生懸命、各国の乗客の面倒を見てきたのに、NHKやCNNが世界中に誤った情報を広めた結果、世界から恩を仇で返されるようなことにならないか心配しました。幸い、そこまでの事態には至りませんでしたが、もっと感謝してもらうべきなのに、ひどく割り引かれました。

また、現場が本来の対策で忙しかったときに、外部の岩田氏による現場のモチベーションを下げるような発言がスポットライトを浴びたことも大変残念でした。

クルーズ船内大量感染の責任は日本側にあるのか

ダイヤモンド・プリンセス号で起きた新型コロナウイルスの集団感染について、日本側に何がしかの責任があるとすれば、横浜に着くまでは感染は例外的だったのに、日本に着いた以降、急に感染が増えたという場合だけに限られます。

入港まで船内ではバイキング方式の食事やエンターテインメントのイベントを続けていたのですから、それらが原因ですでに感染していて、発症したのがたまたま日本到着後だったと見るのが最初から常識的でした。

そして、前述のように国立感染症研究所が「現場からの概況：ダイアモンドプリンセス号におけるＣＯＶＩＤ－19症例」を発表し、暫定的な結論として、「感染のほとんどは、日本政府による検疫が開始される以前に伝染していたが、乗組員などの感染のほか一部の乗客の感染がそれよりあとであることもあった」としています。

発症日の判明している確定例の検討に基づいて評価すると、2月5日にクルーズ船で検疫が開始される前にＣＯＶＩＤ－19の実質的な伝播が起こっていたことがわかりました（船内の常設診療所に発熱で受診した患者数参照）。また、確定患者数が減少傾向になったのは、検疫による介入が乗客間の伝播を減らすのに有効であったことを示唆しています。

ただし、感染伝播は乗員あるいは客室内で発生したのは事実です。そもそも、クルーズ船の性質上、すべての乗員乗客を個別に隔離することは不可能であったことは明らかです。客室数には限りがあり、しかも乗員はクルーズ船の機能やサービスを維持するため任務を継続する必要がありました。

つまり、乗客へのサービスを停止するわけにいかないことから乗員が感染してしまったり、二人部屋の人を別々の部屋に分けるほどの客室数が確保できなかったし、分けたら夫婦などでも離ればなれになりますから精神衛生上のデメリットもありますので、同室の人が感染した例が少しあったということになります。

岩田教授がいうような問題点もあったかもしれませんが、それがゆえに大量の感染者を出したということは断じてないということができます。

マスコミなどはこの点を世界に向かって発信してほしいものですが、一部のマスコミは検疫開始後の感染例が「少数しかなかった」ではなく、「少数とはいえあった」というほうを大きく報じたのは残念でした。

もちろん、船内感染があったことは感心できることではありません。しかし、インフルエンザを例にとると、一般的な病院でも医者やスタッフが患者からうつされることも、入院中の患者や外来者が感染することもそれほど珍しいことではありません。

そもそも、部屋の外から鍵をかけて乗客を閉じ込めでもしない限り、リスク・ゼロはあり得ないことです。そんな中で、スタッフと乗客に若干の感染者が出たとしてもそれほど騒ぐ話ではありません。ニュース価値があるのは、予想通り大量の感染者が出た原因は、横浜に入るまで脳天気だったクルーズ船の体制にあったということのはずです。

しかし、これを利用して、安倍政権に打撃を与えようとする人も多いようです。科学的に日本政府に責任がないことを立証しても、彼らは故意に事実を歪曲して、日本を攻撃させるようなプレゼンテーションを世界に対して行っていくのが心配です。

クルーズ船の現場での対応について、猪股弘明氏が、Ｆａｃｅｂｏｏｋに以下のようなことを書いておられました。

「感染症のプロ」から見れば非常識に映る行為もあったのかもしれないが、簡易な（そして不完全な）隔離程度であっても効果は出ているようだ。

「発症」（熱発など）という意味では収束傾向にあるのに、突然、部外者が割り込んできて指揮系統を乱されたら、たまらんと思うよ。そりゃ重装備の対策がうてればうてるに越したことはないだろうけど、現場でできることなど限界がある。野戦病院的な治療状況では「最低限の対策で最大限の効果を」と考える方が現実的ではないかと思う。

誠にもっともな意見だと思います。

クルーズ船でのこういう状況の発生は、世界史上初めての事態です。完璧を求めるべきではないですし、100点満点は無理です。そして、結果を見る限り、岩田氏の問題点の指摘が正しいとしても、それが悲劇的な結果を生んだわけではなく、厚生労働省の対応は合格点を出す程度にはうまくいったと評価すべきでしょう。

「シウマイ弁当廃棄」を批判した人たちの脳天気

新型ウイルス感染症の感染が拡大したクルーズ船をめぐり、2月中旬に「シウマイ弁当騒動」というのどかな事件があったことを覚えているでしょうか。

長引く船内での隔離生活で疲労した乗客や船内で働く検疫官、医療従事者、自衛官を元気づけようと、横浜市の『崎陽軒《きようけん》』が「シウマイ弁当」4000食（約344万円相当）を寄付したところ、提供されずに消えてしまったというものです。

「せっかくの崎陽軒の好意を台無しにした」、「徹底解明を」などとSNSでも論議が沸騰していたので、私はFacebookで次のように指摘しました。

こんな混乱の中で、十分な調整もせずに当日中しか食べられない料理を送り付けたことは、いささか乱暴なやり方で、クルーズ船からすればありがた迷惑だったことは少し考えればわかることである。

外国人が過半数いる中で、予定されていた高レベルの食事に替えてシウマイ弁当にしたら、ほとんどの客は怒るだろうし、食べない乗客も多かったことでしょう。宗教上の理由でシウマイの豚肉を食べられない乗客やスタッフもいたはずです。中国系の乗客もいましたが、中国人は温かくない弁当は嫌うので喜ばれません。結果として、大量に残飯が出てその処理に困るだけです。

私の主張に対して、のちに「政府の対応が甘すぎた」と論陣を張っておられる方から「横浜市民全員をお前は敵に回した」と、罵詈雑言を私は浴びせられました。
あの当時は、「乗客の生活の質にもっと配慮しろ」という意見が強かったのです。乗客自身も安全対策よりも生活の質を求めていた傾向がありました。新型コロナウイルスの恐ろしさが身に染みていなかった私たちも、「船に閉じ込められてかわいそうだな」という同情の目で見ていたのです。これも、厚生労働省の対応が非常識に感染を甘くみていたとはいえない証左でしょう。

クルーズ船からの下船とＰＣＲ検査範囲の妥当性

横浜港での検疫開始以降に、乗客・乗員間で感染が少しですが、拡大したり、下船後に陽性が判明した人がいたことについて、船内での指揮に当たった沖縄県立中部病院の高山義浩医師は、次のように述べています。

症状が軽かったため自己申告していなかった可能性が考えられます。クルーズ船では、自己申告による発症者と濃厚接触者（＝同室者）に対して検査を実施してきました（例外あり）。そこで陽性が確認されると病院へ搬送されます。そうなると、ここまで支えあってきた夫婦は引き裂かれ、連絡を取り合えるかもわからないまま、船と病院へと別々に隔離されてしまうのです。また、船の食事は外国人向けに作られており、なかなか美味しいとの評判です。というわけで、迎えのフライトが来ることもわかってましたし、発症したことを申告せずに粘ってた人が多かったのかもしれません。

感染が**確認**されない**状態**で**夫婦**であっても**引**き**離**し、**一人**ひとり**船内**の**部屋**に**閉**じ**込**め、カロリーメイトでもまとめて**配**り、**部屋**の**掃除**も**自分**でやらせたら**感染拡大防止**にはよかったのでしょうが、それはそれで**弊害**も**出**るはずです。

また、**最終的**に**陰性**だといわれて**下船**した**人**たちからあとで**陽性者**が**出**たことについては、こんなことをいっています。

日本で行っている検査法よりも、両国（※註：クルーズ船から帰国後にＰＣＲ検査を行ったところ、思った以上に陽性率が高かったオーストラリアとアメリカ）が感度の高い検査法を実施したことが考えられます。例えば、咽頭ではなく**鼻腔**拭い液で調べると感度が上がると言われています。ただし、鼻の奥深くにスワブを差し入れるため、採取後に咳き込む患者さんが多く、飛沫が大量に発生します。つまり、医療者への感染リスクが高まるため、船という閉鎖空間では躊躇される検査法でした。

クルーズ船を下船して国内に帰る全乗客についてＰＣＲ検査を実施したことは、よい判断だったと思います。効率的に陽性者を発見できましたし、速やかに下船させることで臨床的な見守りにつなげることができました。でも、ＰＣＲの結果について注目が集まり、ある種の過信を与えてしまったとすれば、それは残念なことだと思います。

臨床医なら誰しも知ってることですが、ほとんどの臨床検査は診断における補助的な役割しかありません。感度の低い状況で使用することは、判断を誤らせるリスクがあるため躊躇します。だからこそ私たち医師は、問診をして、診察をして、状態に応じた検査を選択しているのです。

ダイヤモンド・プリンセス号では、2月19日までに船内3011人のウイルス検査が終了しました。そして、14日間に及ぶ健康観察期間を発熱などの症状がなく経過し、陰性と判定された乗客の下船が認められ、それぞれを公共交通機関などで帰宅させました。

ただ、公共交通機関を使わせたことに対して、「言語道断だ！」という罵詈雑言も寄せられました。そこまでいうのであれば、３０００人もの乗客を船の外で互いが接触しないように閉じ込めておく方法や、全員を救急車で自宅まで届けることなど、どうしたら可能か教えてほしいものです。アメリカ人など、特別機で帰国した人以外はさらに何週間も船内に閉じ込めておくことくらいしか選択肢はなかったのではないでしょうか。

これについても、高山医師の次のような説明は納得できるものです。

今後、発症してくる方がいるとすれば、それは自宅に戻られたあと、数日してから発熱や呼吸器症状を認めてくることでしょう。ですから、なるべく自宅で過ごしていただき、症状があれば保健所に連絡するようお願いしています。

実はこれ、いま市中で確認されている新型コロナの患者さんの濃厚接触者と同じ対応なのですね。市中における濃厚接触者は自宅で過ごすことを認めているのに、クルーズ船の乗客には隔離を継続するというのは、矛盾していますし、人権にも関わると私は思います。

あとで出てきますが、韓国などでは、マイナンバー制度やスマホアプリを活用した個人の追跡制度がありますから、日本より感染拡大の可能性を低く抑えられます。もし、クルーズ船の下船乗客をもっと監視し続けたかったら、そういう韓国のような制度を導入するしかありません。

また、こうした日本の対応について、国際社会が文句などをいうのは筋違いです。アメリカやイギリスが、少なくとも自国民について感染の有無にかかわらずそのまま本国に連れて帰ると申し出て、それなりの回答期間があったのに日本が断ったというのであれば、日本は非難されてもしかたないかもしれません。

しかし、そのような話はありません。むしろ乗客の面倒を日本に押し付けて、船内閉じ込めを推奨していただけではないでしょうか。しかも、感染の疑いがあるまま日本語ができないあれだけの人数を上陸させて、船の上より適切に対処することは日本には不可能だったと思われます。

新型肺炎やインフルの患者は病院に来させてはいけない

まだ国内ではそれほど危機感が高くなかった2月15日に、私は『アゴラ』に次のような記事を書いています。あえて、そのままに近い形で載せておきますが、悪い見通しではなかったと思います。

「今回の新型コロナウイルスの流行以前から、私にはいつも疑問だったことがあります。それは、インフルエンザなどの感染症にかかったかもしれないという段階で病院や診療所に行くことです。

当然、公共の交通機関に乗って行くこともあるでしょう。他の患者とも待合室で出くわします。これではわざわざ感染症をまき散らしているようなものです。そのため、医療関係者の罹患も多くなります。

そもそもウイルスに感染した場合、細菌性の病気の場合と違い、家でおとなしく寝ていれば治ることが多いようです。そういう意味でも、インフルエンザや新型コロナウイルスなどに感染の可能性がある人に対しては、医療サイドの人（別に医者でなくても構いません）が防護服を着けて、患者の自宅などに出向いて検査するほうが合理的です。あるいは、ドライブスルーでもいいのです。

そこで感染が明らかになったなら家族も検査し、感染しても軽症の場合はホテルにでも移ってもらえばいいでしょう。患者を病院に入院させるよりもホテル代を健康保険で補助したほうが社会コストはよほど安いのではないでしょうか。患者を閉じ込める、あるいは隔離するということが目的であれば、別に病院でなくともいいわけです。

これを機会に、伝染病の患者を病院へ来させるという行為をやめたらどうかということを真面目に提案したいと思います。

中国の武漢でなぜあれだけ病気が拡がってしまったのかいろいろな説明がされていますが、市民がパニックを起こして病院に集まったり、そうした患者を十分に隔離されてない部屋に押し込んだことで、ますます感染が拡がったからです」

日本では本当のパニック状態は避けられましたが、4月になると病院での集団発生が連日のように報道されるようになってきました。医療関係者の人手不足のため、新型コロナウイルスの陽性が判明した看護師を黙認して働かせたり、持病の治療のために感染を隠して医療機関を利用する患者も出てきました。

何よりも心配されるのが、医療関係者への感染拡大による「医療崩壊」です。新型コロナウイルスそのものによる犠牲よりも、医療の現場が機能しなくなって、桁違いに多くの人を死なせてしまいます。

医師や看護師が患者からウイルスをうつされると、まずその病院が消毒作業のために数日は外来診療ができなくなってしまいます。さらに、感染者と接触があった職員や関係者まで自宅待機しなくてはいけなくなり、その病院は機能しなくなってしまいます。

こうした事態を避けるためには、新型コロナウイルスの感染可能性がある人が一般の医療機関に来ないようにすることが一番大事です。もし来ても「検査の斡旋をしない」と明確化するべきです。

仮に感染の恐れがあれば、まずは電話相談を行い、それからドクターカーなどでの出張検査、あるいは特定の機関での検査の流れにするべきです。ＮＨＫが「医者が検査を求めているのに保健所がしてくれないのがけしからん」と執拗に報道したのはまことに残念なことでした。

また、特効薬やワクチンの話題には事欠きませんが、不正確な情報によって他の病気の人が脅かされる現状もあります。例えば、「ぜんそく薬が新型肺炎にも効くのでないか」という噂が広まったせいでその薬が不足し、ぜんそく患者は生命の危険を感じているという話も耳にしました。

マスコミはことさら報道に気を付けてほしいのですが、BPO（放送倫理・番組向上機構）の医療・薬品版のような仕組みをつくって、有害な健康医療情報を厳しく監視するべきかもしれません。

2月下旬のことでしたが、NHKの夜7時のニュースで、ある開業医の話が取り上げられていました。それは、風邪を引いて熱があるという子供が自分の病院に来たので、念のため保健所に電話して「新型ウイルスの検査をしてほしい」といおうと思ってもなかなかつながらず、やっとつながったと思ったら「そんな軽症では検査できない」といわれたと憤っている姿でした。「医者が頼んでいるのに断るとはけしからん」という姿勢で大々的に放送していたわけです。

軽症患者の検査を電話で頼もうと粘る不心得な医者がいるから、保健所の電話がつながらないだけです。風邪で軽症であることがわかっているのですから、「自宅で安静にしていてください」というだけで十分だったはずです。

ここまでが当時に書いたものです。

ＰＣＲ検査をめぐる不毛の論争の真相はこうだ

新型コロナウイルスに感染しているかどうかを調べるＰＣＲ検査をどのくらいするべきかについては、ＷＨＯでもテドロス事務局長が「ともかく、検査、検査、検査です！」と叫んだかと思えば、のちに、後退させたりしましたし、世界各国でも対応がわかれました。

日本の医療関係者の意見もわかれて、一般国民はなにが正しいかさっぱりわからなくなりました。テレビのワイドショーは、「ＰＣＲ検査をもっとしろ」という意見の人ばかり選んで出していました。専門家でない人や専門家でもそれほど実績がない人でもＰＣＲ検査推進派を最高権威であるがごとき扱いで、今も出演を繰り返させています。

テレビ朝日が、ベルギー在住の医師が「増やそうとするのは得策ではない」といったのを反対の意見だったような印象操作をして放送し、謝罪する事件までありました。

こうしたマスメディアの態度は、政府が中立的な対応をしていたので、推進派の立場に立つことが安倍批判に結びつくとか、韓国政府を誉めることになるなら、いいことだという日本のマスメディアのいつもの姿勢の表れでした。

そこで、この問題について、客観的な考察を少ししておきたいと思います。

まず、対立には、感染症の専門家がＰＣＲの拡充をそれほど重視せず、臨床医が積極的という一般的な構図がありました。

例えば、日本感染症学会と日本環境感染学会は、４月２日に「新型コロナウイルス感染症に対する臨床対応の考え方」を発表し、軽症の患者に対してはＰＣＲ検査を勧めないとし、医療崩壊を防ぐために重症患者の治療に特化することを提言しました。

それに対して、医療の現場の臨床医からは検査の拡充を求める声が多かったのですが、それは、患者さんから検査をしてほしいといわれたら断りにくいとか、不確かでも参考にはなるとか、手術などをするときにもしかしたら感染しているかもしれないというのでは不安だとかいう動機によるもので、医療体制全体の中での総合的な判断とは言い難かったと思います。しかし、臨床の現場としては要望は切実なものでした。

また、一般人は自分が感染しているか知りたいと思うのは当然です。それは、インフルエンザでもそうで、風邪を引いて医者のところに行く人は検査をしてくれと頼みます。最近は、検査を小さな診療所でもできるようになったから簡単にしてくれますが、以前は検査機関にまわしていたので、なかなかしてもらえませんでした。

しかも、医者からは「感染していても、初期は陰性と判断されることが多いので、あてにならない」といわれますが、患者のほうは医者が念のためにそういっているのだろうと聞き流して検査結果に間違いないと安心することが多いのです。

ましてや、新型コロナウイルスは検体をとるのも防護服が必要ですし、検査も専門機関にまわすので、受け入れ能力を超えた検査はできないのは当然です。

ですから、クルーズ船における高山医師の考え方のように、初期において政府が発症者を検査し、もし陽性なら、周囲を検査するというやり方にしたのは妥当だと支持もしたし、そのやり方で成功もしたのです。

しかし私もそのときは、検査能力はどんどん拡充して、医者が本当に検査を望むようなときは（といっても患者が望むから検査してやってほしいとかいういい加減な話は排除されるべきですが）、検査できるようになると思い、3月頃は、安倍首相もそのようなニュアンスで話していました。ところが、その後も、能力アップは思ったほど伸びないし、能力いっぱいの検査が行われているわけでもありません。

それについて、新型コロナウイルス感染症対策専門家会議による状況分析・提言が5月4日に出されて、尾身茂《おみしげる》・地域医療機能推進機構理事長が、「他国に比べて遅れたのは、さまざまな理由がある」と検査数が伸びない理由を説明しました。そのときの内容は、この章の扉に掲げてありますが、概要は以下の通りです。

【日本でPCR等検査の能力が早期に拡充されなかった理由】

①制度的に、地方衛生研究所は行政検査が主体。新しい病原体について大量に検査を行うことを想定した体制は整備されていない。

②SARSやMERSなどは、国内で多数の患者が発生せず。PCR等検査能力の拡充を求める議論が起こらなかった。

③新型コロナウイルスの発生では、重症例などの診断のために検査を優先。

④専門家会議提言等も受け、PCR検査の民間活用や保険適用などの取組を講じたが、拡充がすぐには進まなかった。

【PCR等検査件数がなかなか増加しなかった原因】

①帰国者・接触者相談センター機能を担っていた保健所の業務過多

②入院先を確保するための仕組みが十分機能していない地域もあったこと

③地衛研は、限られたリソースの中で通常の検査業務も並行して実施する必要があること

④検体採取者及び検査実施者のマスクや防護服などの感染防護具等の圧倒的な不足

⑤保険適用後、一般の医療機関は都道府県との契約がなければ検査できなかった
⑥民間検査会社等に検体を運ぶための特殊な輸送器材が必要だったこと

また、ウイルス研究の専門家である長野保健医療大学の北村義浩《きたむらよしひろ》特任教授が5月3日、TBS系バラエティー番組『アッコにおまかせ！』に出演。PCR検査件数が1日1万件に届かない原因について「誰もよくわかってない」としました。

MCの和田アキ子に「検査をやる人が少ないんですか」と尋ねられ、「いろんな説があって、実は誰もよくわかっていないんです」、「人が少ないんじゃないかとか、検査の試薬が少ないとか、鼻の奥の分泌物を取ってそれを運ぶ人が少ないんじゃないかとか、場合によっては鼻の奥の分泌物を取る特殊な綿棒が足りないんじゃないかとか、ありとあらゆるものが足りないといううわさがあってよくわからないんです」というのです（以上、デイリースポーツ5・3付より要約）。

尾身副座長はこのとき、「日本では、肺炎を起こすような人のほとんどがCT検査をやられて、多くがPCR検査をやられて正しい件数がピックアップされていると思う。他の国に比べて件数が足りないのは確かだが、徐々に検体数は増えている。PCRの陽性率は

下がっている、というポジティブな面がある」と、検査の不足は認めつつも、代替手段を講じているからそんな不都合は生じてないともいいました。

私は、日本の医療界は海外の医師たちがやれることでも自分たちはやれないといってるだけだと思いました。秀才ばかり集めてこれでは困るのです。厚生労働省技官であろうが、現場の医師たちも尾身先生たちもみんなお医者さんなのです。

お医者さんたちがそれぞれの持ち場で頑張っていることを誰も疑いません。しかし、医療界全体の頑張りで何とか頑張ろうという気がないように思います。どうして、もっと緻密になぜ進まないのか徹底調査し、例えば、人が足りないなら、手の空いている医師が応援に行こうとかならないのでしょうか。この時期、一般患者が外出を控えたこともあって、全国の医療機関は患者数が減って経営難になるとか騒いでいたのです。

ＰＣＲ検査とか人工呼吸器の扱いとかは、お医者さんなど医療関係者なら少しの研修を受けたらできるようになります。ＰＣＲ検査の検体採取は、4月になって歯医者さんもできるようになりましたし、アメリカでは薬局でやってます。各都道府県で緊急事態に備えて、多くのお医者さんなどが研修しているという光景が見られないのが不思議でした。

コロナ関係の保険点数を増やすとか、関係者に特別手当を出す措置は取られましたが、臨時に高額手当で引退や休業したり他部門で働いている人を高給で募集することも躊躇すべきでないのですが、そういう非常時にふさわしい態勢を組めないのが不思議です。

アビガンなど治療薬の使用はなぜ進まないのか

それから、この過程で大量に簡単に検査できる最新式の器械があるのに、厚生労働省が使わせないので導入できないとかいう話をワイドショーなどでよく取り上げていました。しかし、けっこう新しい器械は導入されているようで、それが目一杯に稼働していないようですから、ある器械について認可がまだおりてないから拡充できないとかいう話ではありません。どうも、特定のメーカーの売り込みに荷担しているだけのように思いました。

さらに、今度はワクチンや治療薬の開発や認可の遅れを批判する声もあります。ワクチンの開発と普及が予防の決め手なのですが、一年半くらいはかかるといわれています。

それならワクチンができたらいいのかというと、そうではありません。なにしろ、ワクチンの副作用を心配していやがる人が世界には多くいます。アフリカなどでは霊媒師などがワクチンへの疑問をいいふらして妨害することが問題になっています。

日本では、例えば、子宮頸がんワクチンの接種が反対派の妨害にあい、厚生労働省は接種の推奨を面倒がってやめてしまったままです。このことによって、日本では子宮頸がんになって手術を受ける人は高い比率のままで、WHOなどからも強く批判されているのですが状況は改まりません。

新型コロナウイルスの問題でよくテレビに登場する村中璃子氏という女医さんがいますが、日本の現状を告発したところ、公共の利益に関わる問題について健全な科学とエビデンスを広めるために、障害や敵意にさらされながらも貢献した個人に与えられる「ジョン・マドックス賞」を国際的な権威ある団体から表彰されていました。しかし日本ではほとんど報道されず、逆に雑誌記事について名誉毀損で訴えられ敗訴しています。どうも反ワクチン派の執拗な批判が怖くてマスコミは腰が引けているようです。

日本では新型コロナウイルスが開発されても、反ワクチン派の妨害にあってその普及率を上げることが難しいことが容易に予想されます。

治療薬については、ほかの病気のための薬が効くのでないかと噂され、いくつか、治験が進められています。そのうち、エボラ出血熱用のレムデシビルという薬はアメリカで認められているというので日本でも使えるようになりました。本来は、海外で認可されていても日本では一から治験が必要でしたが、それが緩和された成果です。

一方、インフルエンザ用に日本で開発されたアビガンの使用が話題になっています。どうも初期のうちに投与すると効果がありそうで、レムデシビルほど価格は高くないし備蓄もあるのですが、厚生労働省は慎重です。

どうも、薬害エイズ事件で当時の課長が刑事罰に問われたことがあり、それがトラウマとなって、副作用がある薬の認可には慎重で、誰も将来において処罰される可能性を排除してくれないのだから簡単に認可などできるものかという事情もあるようです。

しかし、この使用については、世論の強い後押しもあります。そこで、安倍首相の強い指示で厚生労働省も異例の早さで認可するようです。それに対して石破茂氏などは、厚生労働省の認可手続きなど飛ばして超法規的に解決しろとか乱暴なことをいってます。しかし、逆に『日刊ゲンダイ』などは、異例の扱いにする安倍首相を強く批判してます。

一般世論は両方の意見があることを理解せずに、早くやれとかいっていますが、そんな簡単な問題ではありません。

第四章

活動の自粛などコロナ対策を総点検

感染防止のために
「#自粛と補償はセットだろ」
SNSで街頭で広がる声

共産党Facebookより

一斉休校を「突然」といった首長・教育者は無能だ

安倍首相は2月29日午後6時からの記者会見で、新型コロナウイルスの感染拡大防止のために要請した小中高校などの臨時休校措置などについて、国民への協力を強く呼びかけました。

この安倍首相の要請による一斉休校を「突然の話」などといっていた首長や学校関係者は、自分たちの見通しの甘さを恥じるべきでしょう。そもそも、コロナ禍が拡大していた中で、全国一斉かどうかはともかく、休校せざるを得ない状況がある日突然やってくることくらい、世界の動向を見ていれば予想できたことでした。

その場合のシミュレーションができていなかったとするなら本人が無能に過ぎません。安倍首相の要請はおおむね妥当でした。それなのに、「首相にそんな権限はない」とか「休校までは必要ない」などと、自分たちの無能ぶりを隠すための言い訳として、政府批判をするなといいたいです。

そもそも首相に休校を決める権限がないことは常識であって、それを国の「命令」だと受け取る関係者がいたら教育関係の法律を読んでいない間抜けです。

だいたい、日本の教育界の決定ののろまぶりからすると、いちいち意見など聞いていたら、「学校を休校するのは学校の設置者（地方公共団体や学校法人）に権限があると『学校保健安全法』に書いてあるから、それぞれの確認が必要だ」などと、つまらない理屈を並べて意見が集約できず、いつまで経っても実行に移せなかったことでしょう。そして、お金をくれなくては動けないとか、いじましい注文ばかり並べて、前に進まないことが目に見えていました。

「卒業式や始業式のある3月の大事なときなのに」という意見もありましたが、自然災害や事件、事故で卒業式ができなくなることは、これまでにもなかったわけではありません。万が一、3学期が中断されたらどうするかなど、教育者は日々考えておくべきことです。むしろ、あと3週間でそのまま春休みに入れるのですから好都合ではなかったでしょうか。

学校という集団感染のリスクが非常に高い環境を早期に閉鎖したことは、もっと評価してもいいと思います。新型コロナウイルスは、なぜか子供は重症化しにくい特徴がありますが、一斉休校しなかった場合、子供同士で感染が拡がり、子供が無自覚、無症状のまま教師や家族などにまき散らしていけば、もっと恐ろしい事態になっていたことでしょう。

学校の休校は、経済に影響が少ないところで、できるだけ感染拡大の可能性を減らしたともいえます。交通機関の混雑の緩和にも寄与したと思われます。

政府内の慎重論を首相主導で押し切ったことについての批判もありましたが、こういうことは事前に相談してもほとんど意味がありません。逆にいうと、文教族などから邪魔が入って動かなくなることが目に見えていましたから正しい判断といえます。

一斉休校のような案件ほど、部分最適を積み重ねれば重ねるほど全体の最適解と離れてしまう事案はないと思われます。そのため、少数のチームで判断、決定をし、トップダウンすることが好ましいのです。

韓国よりダメな教育現場をつくった文科省の怠惰

韓国は新学期を4月9日からネットで開始しました。本来は3月が新学期だったので1カ月遅れで、かつネットです。

まず4月9日から中学3年生と高校3年生の授業を始め、16日には中学・高校1年生と2年生、小学校4年生から6年生が新学期をリモート（遠隔）で迎えたのに続き、20日から小学校低学年がオンラインでの新学期を迎えました。

それに対して、日本では5月6日までとされている緊急事態宣言の延長の有無にかかわらず、休校期間を5月いっぱいと表明する自治体が出てきました。また、臨時休校が長期化する中、9月入学・新学期制の導入を求める声も上がっています。

しかし、当初は予定通り4月に新学期を開始することにこだわっていて、しかもその決断は各地方任せにするつもりだったようですから、呆れるしかありませんでした。

日本の文部科学省は、朝鮮学校への補助金交付にこだわり続け、大臣の指示に面従腹背を続けた前川喜平元事務次官を典型として、朝鮮半島が大好きです。教員の採用や歴史教育、外国語の扱いなどでも媚韓・媚朝教育に徹しています。

2019年5月には、文化庁長官も「(日本には)今日、文化のルーツ、根底には中国、韓国があると思います。シルクロードを通じてその大きな流れが生じたものですが、それで私は韓国は日本において何というか兄か姉のような存在と思います」と、韓国文化に対する日本の誤った歴史認識を目一杯のリップサービスを駆使してソウルの韓国記者団に披露していました。

こうした媚韓・媚朝派の教育関係者たちは、歴史認識など追随してはならないところでさんざん媚びておいて、その一方で、こうしたオンライン授業のような韓国の先進的な試みは学ぼうとはしません。旧態依然とした教育を続けて後れを取り、しかも4月に新学期開始を強行しようとした教育関係者の愚劣さは度しがたいものがありました。

教育関連でもうひとついうと、3月30日、ヨーロッパの卒業旅行から帰国した京都産業大学の学生を中心に13人の新型コロナウイルスへの感染が確認され、4月1日には感染者は42人となり、京都産業大学が日本有数のクラスターになってしまったということがありました。

しかし、京都市など行政は「大変だ」というだけで無策でした。大学は学生にとりあえず2週間は「アルバイトを休め」「外出をするな」「帰省をするな」と呼びかけるくらいのことは最低限やるべきでしたし、府や市も要請すべきでした。大学キャンパスを閉めるより、そちらを優先するのが当然です。

京都市長は二代続けて教育委員会出身。市内の優良市有地は有利な条件で大学に払い下げて、醜悪な巨大建築を建てさせたりするのも疑問ですが、市民や子供たちの健康を犠牲にして、「学校の授業開始が遅れては困る」などという関係者のわがままを聞こうとするのも訳がわかりません。彼らの無理な要求を抑えてこそ教育委員会出身の値打ちがあるのではないでしょうか。

「金と命とどちらが大事なんだ！」という議論の無意味さ

経済への悪影響を論じる場面では、いつものことですが、「金と命とどちらが大事なんだ！」といい放つ人が多くいました。そして、そういう言い方がされると、もう真面目な議論はできなくなります。

日航機ハイジャック事件（1977年）で当時の首相が「一人の生命は地球より重い」といってテロリストの要求に唯々諾々と従いましたが、それは単なる思考停止の卑怯ない逃れでした。

確かに新型ウイルスは怖いですが、誤解を恐れずにいうと、「非常に運が悪いと死ぬ可能性もある」くらいの話です。その程度の話で個人や家庭でも「お金に糸目などつけない」などあり得ません。インフルエンザも同じですし、交通事故の可能性も、餅をノドに詰まらせるのも、「死ぬかもしれない」ということでは同じです。

ウイルスや細菌に感染しないように一生を無菌室で暮らしたり、車に絶対に乗らないとか、地震や水害が起こらない土地を探して住んだりするのは、この日本では相当難しいことでしょう。

そんなことをするために、国は何百万円も補助してくれるはずもありませんし、自分でもほどほどのお金しか使いません。

「国民の命が第一なんだから、経済のことなんか考えるな」という論法は無茶すぎます。それは比喩的表現であって、誰も本当にそんなことを考えていません。

さらに、「命」のことを考えるのであれば、それこそ経済が重要になります。経済が崩壊すると、命がどんどん失われていくのは当然です。やはり、所得が高い国のほうが平均寿命は長いですし、今回の新型コロナでもアメリカでは所得の低い人の発病が多いといいます。経済さえしっかりしていれば、そういった人たちを救済する策もいくらでもプランできるのです。

新型コロナウイルスが世界中で猛威を振るい、主要国が迅速で大規模な危機対応策を講じる中、ついに4月7日、安倍首相が改正新型インフルエンザ等対策特別措置法に基づく初の「緊急事態宣言」を発令しました。

私としては、流行が広まらないうちに食い止めたほうがコストは低いので、3連休明けの3月23日に宣言するべきだったと思いますし、日本医師会が「医療危機的状況」を宣言した4月1日にはしてほしかったと思います。

ただ年度末の株価のこともありましたし、自粛しか求められない以上、宣言を出したら多くの国民が自主的に自粛してくれるかどうか熟考の上のことだと思います。

本当はもう少し早く自粛が始まったほうが早く解除できたというのも真理の一面ですが、それでは3月中に宣言したらお店も企業もすなおに協力してくれたかといえば、だいぶ比率は低かっただろうとも思います。

さて、緊急事態宣言実施の期間は4月7日から5月6日までの1カ月、実施区域は埼玉県、千葉県、東京都、神奈川県、大阪府、兵庫県、および福岡県の7都府県とされました(16日には全都道府県を対象に拡大し、5月4日にはさらに1カ月程度延長発表)。

内容としては、「密閉」「密集」「密接」の「三つの密」を防ぐことで感染拡大を防止するために、外出自粛の要請や、社会機能維持のための事業の継続などを「お願い」するというものでした。

このときに画期的だったのは、一般企業で、出勤者を少なくとも70%は減らしてほしいとはっきりいったことです。「日本人は会社へ行かないと働いた気にならないようだ」と海外からも笑われているわけですから、この点をしっかり守らなかったら感染を収めることも無理なので、これがキーポイントになったと思います。

動きの早かった企業では、2月中旬くらいからテレワークやリモートワークを導入しています。こうしたことはやろうと思えばできるのであって、感染拡大から何カ月も準備期間があったのに導入できない企業は存在価値がないといいたいくらいです。

「リモートワークなんて、そんなこと急にいわれても……」などと戸惑っている経営者がバカなだけです。

この安倍首相の数字を上げてのリモートワーク推奨は、かなり意味のあるヒットだったと思います。

もちろん、職種によっては在宅勤務を含めたテレワークやリモートワークが不可能な仕事もあります。生活必需品を扱う小売店などでは接客は避けられませんし、公共交通機関などの経済社会サービスは在宅で作業とはいきません。宅配便のドライバーもそうでしょう。こうした、感染の危険があっても人々が生活していく上で必要不可欠な仕事を担う人を「エッセンシャルワーカー」と敬意を込めて呼ばれるようになりました。今回は急なことで、範囲をわかりやすく定めるわけにはいきませんでしたが、今後は、線をもう少しわかりやすく引けるように準備することも必要だと思います。

新型コロナウイルスと最前線で戦っている医療従事者や医療現場を支える関係者には、

リモート作業は無理な部分もありますが、それでも、日本は遠隔診療があまりにも遅れているのです。

また、日本のオフィスの多くは、まさに「三密」の条件を満たしています。気密性、密閉性の高いビルの一室で、従業員の人数に対し十分なスペースがあるとはいいがたいのが実情ではないでしょうか。さらに、新型コロナウイルスはドアノブやエレベーターのボタン、パソコンのキーボードやマウスなどを介しても感染するといわれており、パソコンやオフィス機器を共用する事務所などは〝危険がいっぱい〟です。

いまや、自分が「うつされる」心配だけをする時期は終わりました。もしかしたら通勤時に満員電車の中ですでに感染していて、あなた自身が無症状のままウイルスを拡散しているかもしれません。自分がクラスターの原因となり、身近な人々の命を奪う可能性だってあるのです。

金をくれないなら協力しないというのは〝テロ教唆〟だ

新型コロナ・シンドロームとして、日本人はすっかり「金の亡者」になってしまったかのようです。

収入が減ったわけでもなく、むしろ家にこもってお金を使わなくなり、余っているはずの人までもが、安倍政権の打ち出した「一部の減収世帯に限り30万円支給」という策が気に食わなかったようで、不満の声が高まりました。

そこで、所得制限なしの一人当たり10万円を支給する方向に転換したのはご存知の通りです。しかし、やはり、政府が「困っている人には手厚く」と考えたほうが正しかったと思います。

また、東京都などの自治体が商業施設や飲食店に呼びかけた休業要請に対し、「損失補償と一体でなくては困る」という声が上がりましたが、これも疑問です。

あくまでウイルスの蔓延を防ぐためにしばらく休業を呼びかけるのは、他の誰かのためではなく、自分たちが感染しないため、そして早く元の賑わいを回復するためにも必要なことです。それには「補償」はなじみません。

それを、なんと政党までが「金をくれないなら協力する必要なし」ということを正当化していると受け取られるようなポスターを作成して貼っている状況です（日本共産党「新型コロナ感染防止のために　#自粛と補償はセットだろ」）。もはや、これは新型コロナウイルスを利用した非常識な振る舞いで許せません。
あるいは、「緊急事態宣言を解除して補償を！　安倍は辞めろデモ」などをする輩もいます。これなど「金を寄こさぬならウイルスをばらまく」といっているに等しいものです。私は、補償金というのはおかしいと思いますが、給付金や協力金、見舞金などはありうると思います。しかし、それがなければ協力しないというのは、危険なウイルスを人質にしたテロリストと変わりありません。

新型コロナ対策で政府が使った支出は、いずれ増税などして国民が負担して返すことになるという意識が日本人にはまるでないのは困ったことです。ヨーロッパ諸国では大変な支出をしていますが、いずれ増税や財政緊縮、特に福祉切り捨てで補うべきことを国民が覚悟しているのとは大きな違いがあります。

私はMMT理論などまったく評価していませんが、いわゆるMMT論者でも「日銀引き受けでの国債発行は無限にできる」などといってはいません。しかし、SNSではそういう無茶な考え方が多くなされています。中には「国の経済が破綻しても、困るのは国債などを持っている大企業だけで、庶民は困らない」などという珍説があって、私は驚愕するしかありませんでした。

これなどはMMT理論の鬼っ子とでもいうべきでしょう。国が発行する「円」が使えなくなって大企業が破綻したら、庶民が大丈夫なはずはありません。

「休業補償」というのも考えれば考えるほど、変な話です。ヨーロッパのように全面ロックダウン（都市封鎖）するのなら、ほとんどの企業や個人の収入が減るのですから、みんなに補償するのでひどい不公平を生みません。

しかし、日本の場合、休業要請されたレストランには休業補償を行い、仕出し屋さんとか、料理屋向けに材料を入れている店には行わないというのは不公平です。ですから、第8章で論じますが、知事さんたちでも表面だけでなくしっかり経済実態などをわかっている人は、休業補償にはだいたい消極的でした。

また、テナント料を払えないから何とかならないかというお店もありますが、では自分で不動産を購入してローンを払っているお店はどうするのでしょうか。「家賃を下げればいい」というのは簡単ですが、それで細々と生計を立てている家主も日本には多いことを忘れてはなりません。

「新型コロナで困窮している学生」報道に疑念

新型コロナウイルスの感染拡大に関する学生団体の調査で、大学生らの約6割が、アルバイトの収入が減ったり、なくなったりしたと回答し、調査に答えた学生の13人に一人が、大学をやめる検討を始めていると回答したというニュースが流れました。

学生団体「高等教育無償化プロジェクトFREE」がインターネットで実施し、514人の回答をまとめたのだというのですが、そもそも、回答するのは困っている学生に偏っているでしょうし、あまり意味のある数字ではなかったのですが、これを機に「困窮学生」が話題になり、各政党も対策を打ち出すようになったのです。

しかし、新聞などでの報道は、特に裏読みなどしなくても困窮なんて嘘だとわかるものばかりです。アルバイトがなくなったことだけで本当に困窮している学生などそんなにいないはずです。もちろん、親が仕事を失ったとかいうケースは別です。

例えば、『東洋経済オンライン』電子版の5月16日の記事には、こんな話が紹介されていました（要約）。

東京都内の私立大学3年生のSさんの言葉は切実だ。4月中旬に中野区のアパートをひきはらい滋賀県の実家に戻ってきた。共働きの両親からの仕送り8万円とアルバイト代の約8万円で賄っていた。大学2年生のときから大学で書類整理などをしていたが、コロナの感染拡大で大学構内は立ち入り禁止になって仕事がなくなった。契約社員だった母親の仕事も2日に1回となった。さらに弟の京都の私立大学進学もあった。本年度前期の授業料は、両親に頼ったものの、後期の授業料は「親にはとても頼めない」という。新しくアパートを借りれば敷金・礼金・引っ越し代で30万円かかる。

コロナで大学でのバイトはなくなったのですが、コンビニなどと単価は変わらないでしょうし、月8万円くらい稼ぐのは難しくありません。大学のバイトも間もなく再開でしょう。住んでいるところも学生としてはかなり贅沢なところのようです。

弟の進学はコロナと関係ないし、予想できていたことです。滋賀県は私の故郷ですが二人の子供を東京と京都の私立大学に同時に行かせられるのは、かなり裕福な家庭だけです。奨学金も使っていないようです。住むところも、滋賀県の運営している環境のよい学生寮などがこの学生のアパートから遠くないところにあります。要するに計画性がなくて経済的に分不相応な進学や生活をしていたというだけなのです。

この学生には、普通にえり好みせずにバイトして、奨学金を申請し、アパートも少しランクを落としたらどうかというだけで十分です。まったく困窮学生ではありません。こんな馬鹿な記事を書いて記者は恥ずかしくないのかと思います。私なら、「困窮なんて嘘！甘ったれるな大学生」とでもいう記事にします。

このほか、この記事には、「奨学金だけでは足りないため、バイトをしたくてもコロナ感染を考えると十分にはできません」という「気の毒な」学生も紹介されてますが、コロナが怖いからアルバイトもしたくないというような学生は社会へ出てもまともに生きて行けそうもありませんから、その意味では気の毒ですが、同情の対象ではありません。

今回の飲食店などの休業でアルバイトがなくなり、コンビニとか配達だとかならありますが、それは嫌だというケースも困窮学生として紹介されています。

飲食業とコンビニや配達との給与差は普通はそんな大きいものでありません。コンビニでも飲食業でも深夜は高いというだけではないでしょうか？　それほどの給与差があるのはどんなケースなのだろうか教えてほしいものです。

飲食業など接客系のアルバイトは楽しいという学生が多いようです。バイト料そのものはコンビニと違いはないですが、クリエイティブですし、人との出会いがあるし、賄いメシも豪華なものが食べられるということらしいのです。

しかし、世の中で楽しいということで仕事を選べるのは限られた人です。まして、小遣い稼ぎではなく生活費の足しにする学生アルバイトならばそのくらい我慢すべきでしょう。また、飲食業のアルバイトがなくなっているのかといえば、街を歩けば、けっこう募集しているところがあるのです。

しかし、いまどきの学生は、それなりのアルバイト斡旋企業が関与して、ネットで応募できるようなところでないと嫌がるのだという人もいます。外食するのは食べログに載っているところでないと嫌というのと同じ心理です。

親の収入減で苦しくなるというのは、別にコロナでなくたって多いですし、そういう学生への助成制度もあります。コロナ不況で利用者が増えるでしょうから拡充は絶対に必要ですが、従来と違う枠組みが必要なわけではありません。

私立一貫制の学校で、親の収入減でせっかく入学したのに最後まで続けられなくなりかわいそうという記事もありました。しかし、そういうところは、標準よりかなり裕福な家庭が子供に贅沢をさせるためのもので、親の収入が減ったら続けられないことくらいは、最初から子供にもいいきかせておくべきですし、コロナ騒ぎなどなくても、毎年、かなりの子供がやめて公立に替わります。子供も何年か贅沢させてもらったことを親に感謝して、いい思い出にすればいいことなのです。

バイトがなくなって学業が続けられなくなるというのは、塾などの売れっ子教師とか、芸能系の仕事とかを含めて、学生アルバイトという範疇を超えた収入を得ていたケースなのだと思います。

文部科学省は、困窮学生に20万円ばらまくようですが、バカらしい限りです。

立憲民主党に守ってほしい最低限の政治的道義

これまでイギリスではボリス・ジョンソン首相を筆頭にドリース保健担当政務次官が、フランスではリーステール文化相が、イランでは副大統領に保健省次官が、ロシアではミシュスチン首相が新型コロナウイルスに感染しました。3月の上旬には、フランスのマクロン大統領は執務室での会議をやめています。

このように各国の政府高官にも感染者が出ているというのに、日本では国会の予算委員会で全閣僚を出席させて、多くの議員や政府委員の傍聴もいつものままでした。この状況は、はっきりいって狂気の沙汰だと思ったほどです。

4月になってようやく、議員もほぼ全員がマスクを着用するようになりましたし、予算委員会でも一人ひとりの間隔が大きく開けられるようになりました。

いっそのこと、テレビ会議システムを通してのバーチャル議会にしてはどうでしょうか。それこそ、法制局がお得意の「解釈変更」をすればいいだけです。こういうときこそ出番です。さらに、法律を改正して、特例をつくればいいのです。

国会が習慣を変えれば、各地方議会や民間の会議などのやり方も変わっていくことでしょう。特に、政府の対策会議は「テレビ会議は禁止」などという規則もないでしょうから、政府が率先してテレビ会議に変えたら象徴的でいいと思います。

新型コロナウイルスへのここまでの対応は、基本的には安倍内閣は過不足なく慎重にやったということはいえると思います。

安倍内閣が何をしても「対策が遅い」「朝令暮改が多すぎる」などと批判の声が上がりますが、それはやはりこの新型コロナウイルスについて、専門家でもよくわからない部分や不確定なことが多いからにほかなりません。あまり決め打ちをしていくと、取り返しのつかないことになる可能性だってありました。

何よりも医療崩壊を防がなければなりませんし、拡大防止に力を入れつつ、そうはいっても経済活動も無視できませんから、自粛要請や現金給付などでバランスを取り、やや全方位的に過不足なくやっていったと評価できると思います。

ただ、やはり決断するところでは決断しなければいけません。この非常時だからこそ強いリーダーシップに期待し、これを機会に無駄な岩盤規制などを突破して行ってもらうことを期待しています。

何か不測の非常事態が起こったとき、野党には「非常時だから文句をいわずに協力しよう」というスタンスと、「非常時だから気に入らない相手の足を引っ張るチャンスだ」というスタンスの両極端があると思います。

しかし、その中間のスタンスとして、「いうべきことはいうが、非常時対応の邪魔はせずに協力する」という選択があってしかるべきではないでしょうか。

残念ながら、この三つめの選択というのは、偽リベラル派や立憲民主党の辞書にはないようです。２０１１年の東日本大震災のときには、野党だった自民党や公明党がそういうスタンスだったのとは対照的です。

――このような内容の投稿をFacebookで行ったら、日頃あまり意見が合わない人からも賛同いただきました。

いま立憲民主党などがやっているのは、そのときの恩義を忘れた暴挙であって、もはや人間として持つべき最低の道義も失っているとしかいいようがありません。特に、当時官房長官だった枝野幸男氏や首相だった菅直人氏には猛省を求めたいものです。

このあとに「『反安倍』のためにモノ不足をあおる人々は糾弾されるべき」と書いていますが、その後、共産党シンパとされる医療生協の職員が「トイレットペーパーが品薄になる」というデマを流していたとして所属団体が謝罪に追い込まれました。

野党指導者は、モノ不足を政治闘争のために利用することは絶対にしないという声明を出すべきだと私は考えます。もちろん、時間が経って事態の推移を検証する中で、非常時におけるモノ不足の問題、対策を議論するのはいいと思いますが、現在進行形での問題で足を引っ張ることはしてはいけません。

さらに大問題は、反安倍勢力が東京五輪を中止させようと外圧をあおって画策し、それを政治闘争の道具にしようとしたことです。第一章でも触れていますが、中野晃一上智大学教授が2月26日付のニューヨーク・タイムズに「日本はコロナウイルスに対処できない。

五輪が開催できるのか？」と題して寄稿しました。国民の楽しみを台なしにすることや、国民経済に大打撃を与えることがわかっていながら、それ以上に安倍内閣に打撃を与えるための工作だとしか思えませんでした。

中野氏といえば、『しんぶん赤旗』の新春号で日本共産党の志位委員長と対談し、選挙でも共産党の候補者を支援している人です。それは思想の自由ですから別にとやかくいうつもりはありません。ただ、中野氏が寄稿したのは、アメリカの民主党の候補者選びではエリザベス・ウォーレン上院議員とエイミー・クロブシャー上院議員を支持して、〝民主社会主義者〟を自称するバーニー・サンダース上院議員すら支持していないニューヨーク・タイムズです。それなのに、事実上、民主主義国で唯一の絶滅危惧種である日本共産党の支援者の党派的な発言を、そうした紹介なしにこのような扱いをして世界に発信させるというのは、言論機関としての整合性を疑問視せざるを得ません。

これに限らず、アメリカのリベラル系マスコミが、なぜか日本についてだけ、彼らと根本的に価値観が違う共産党などを支援するような記事を載せることが多いのは、まことに奇怪なことです。ニューヨーク・タイムスが日本以外で共産党系の人にその国の政府を批判する記事を書かすことはないと思います。

「反安倍」のためにモノ不足をあおる人々は糾弾されるべき

モノ不足ということで、マスクのことが話題になりましたが、同じくドラッグストアから一時期姿を消していたのがトイレットペーパー。

「トイレットペーパーはマスクと同じ原料。買っといて損はない」

「備蓄としてあったら安心」

「中国から原材料を輸入できなくなる」

そんな憶測の書き込みがSNS上に急増し、このデマを真に受けてトイレットペーパーを買いためた人が続出したわけですが、これはまったくバカげた話でした。

トイレットペーパーは再生紙（パルプ）から作られており、マスクとはまったく関係がありません。しかも、トイレットペーパーは日本国内でのみ生産していて、中国との関連はないのです。完全に「つくられた」騒動です。

日本経済新聞 電子版 2月29日
@nikkei

日用品、品薄の懸念　SNS誤情報で買いだめ

マスクに続き、トイレットペーパーが店頭から消えた。新型コロナウイルスの感染拡大を受けて日用品を買い占める動きがみられるなか、トイレットペーパーが品薄になるといった誤った情報が拡散したためだ。こうした極端な例は別としても、買い物や外出の頻度を減らすためいつもより日用品や食料品を多く買う消費者は増えている。

今回の騒動を見ていると、悪意はなくとも、お店の商品棚から何かがなくなったとSNSで写真をばらまいて騒ぎ出し、それが危機感をあおったことで衝動買いにつながったことがわかります。SNS時代の新しいパニックの生まれ方かもしれません。

そんな中で今回のウイルス騒動を「反安倍」の政治運動に結び付けてあおっている、いわゆる「反安倍信者」たちもいました。

そんな中で話題になったのが、作家・中沢けい氏のTwitterです。

中沢けい

@kei_nakazawa
トイレットペーパーやテッシュペーパーの棚がからになっている写真や、買いだめに走る人の写真がツイッターのタイムラインに流れてくる。今の心境で見ると、主張はしていないけど「安倍は辞めろ」の指示行動に見えちゃうんだ。政府が信頼されていたら、買いだめなんて行動にはならないでしょう。

中沢けい
@kei_nakazawa
国家という行政組織が崩壊する時、市中から商品が消える。ソビエトが崩壊した時、モスクワでは品物が消えた。日本が敗戦した時、充分な配給品を政府は調達できなくなった。「品物がないってわけじゃない。運んだり配ったりの機能が働かなくなるんだ」って教えてもらったの。どうなるのだろう？

中沢けい
@kei_nakazawa

突然、何を言い出すか分からない首相だもの。小さい子を抱えている人やご老人を介護している人、それからタワーマンションに住んでいる人なんかも、なければ困るものを買って自衛したいって感じているんだ。買占めを見てバカにするのはたやすいけど、あれデモだよ。

「『安倍は辞めろ』の指示行動にみえちゃう」、「あれデモだよ」と、反安倍の意図を持った動きと位置付けてしまえば、政権打倒のために自分も参加しようと思う人もいるかもしれません。

トイレットペーパーを必要とするのは、特にウォシュレットを持たない人たちで、所得が高くない人が多いわけです。中沢さんの言葉には、そういう人たちへの思いやりがないように感じます。

トイレットペーパー不足はそもそもデマだったわけですし、マスクは供給が不足しているのは確かですが、まるでないというわけではありません。買い占めた人がいるだけなので、マスコミだけでなく、市民的義務としてもそうした行為を控えるように、また、反社会的行為だということなどを呼びかけるべきでした。

マスク不足は安倍政権の「失敗」

ダイヤモンド・プリンセス号が横浜に寄港した2月上旬前後から、ドラッグストアなどからマスクが姿を消しました。入荷してもすぐに売り切れました。医療用もそうですが、一般用の不足は国民の大きな不満の種になりました。

私はこのマスク問題は、実際的にはどこまで深刻かは疑問ですが、象徴的な意味を持つし、マスクを求めて毎日、国民が費やした時間コストはかなり大きくなるので、早く手を打つように提言していたのですが、政府は甘く見ていたと思います。

特に疑問に思ったことは、政府が医療関係や介護などの分野に優先的に供給するのは当然としても、地方公共団体や業界団体、さらには孫正義氏のような民間人までその力を行使して、マスクを買い占め、自分の気に入った関係者に気ままに配布を行ったことです。

また、保険会社が一般の契約者にマスクを配布して感謝されているといった類いの投稿も目立ちました。さらに、与党の政治家が地元の医療団体に高額マスクの販売をあっせんしていたことが報じられるなど、「強い」立場の「善行」の積み重ねで、優先度が低いといわれる一般人はマスクを入手できず、国民のイライラは頂点に達しました。そして、この時期、花粉症の人にとっては地獄のような日々になりました。

そこで、政府による「マスク2枚配布」ということになるのですが、これについては後ほど論じることにします。

では、どうすればよかったのかといえば、個人が生産したり独自に輸入したものを除いて、全量ないし大きな部分を政府のコントロール下に置き、医療関係機関などと一般にうまく配布するようなシステムを作るべきだったと思います。

国が一元的に管理をして、流通に回すもの、地方公共団体に回すもの、病院など関係業界に回すものなど、量的に地域的にも分野別にも配分するべきでした。

この場合、誰かが誰に寄付するとか、企業が顧客にプレゼントするなども一切禁止にして、寄付をするなら国にさせるべきでした。

新たに法律を作ってもいいし、そうしなくとも、正規ルートから外れた流通は社会的に監視が可能なはずです。

本来なら「マイナンバー」で処理すれば重複購入などを封じられるのですが（ネットでの購入時の登録でもいいし、罰則をかけて後でチェックしてもいい）、カードの所持を義務化されていない中では国として行うのは困難です。結局、日本社会の危機に対する脆弱さはマイナンバーの問題に行き着くのです。

2月ごろ、マスク不足を解消するための方法として私が提案をしていたのは、まずは政府がある程度は自由枠を持った上でさまざまなニーズと緊急事態に備えるとともに、基本的には都道府県別に人口と流行状況、そしてしっかり対策を行っているかどうかも加味して配分すること。そして、それを受けて都道府県は業界団体と市町村に、枠を決めて配布することでした。

市町村がどのような方法で配布するかは、地域の実情に合わせてやればいいだけで、一律にする必要はありません。

マスクを増産したいものの、コロナ騒動が終息して在庫を大量に抱えることを心配しているメーカーに対しては、余ったら買い上げる約束を政府がすればいいだけだったのです。

4月も下旬になって、政府は緊急事態宣言の間、マスクの高額販売や買い占め、売り惜しみなどで不当な利益を得ている業者への対策を強化する方針を固めたとの報道がありました。そうした可能性がある業者に対し、各都道府県がマスクを売り渡すよう要請したり、立ち入り検査ができるようになったのですが、遅すぎました。

「マスク2枚配布」はよい政策だったが謎の回収劇

「アベノマスク」などと揶揄《やゆ》されていましたが、安倍政権によるマスク2枚配布は遅すぎたものの素晴らしく、私はあの時点では考え得る最高の政策だといいました。

ともかく、韓国のような厳格で使用範囲の広いマイナンバー制度を持たない現在の日本では、国民一人ひとりにマスクを配給していくことや二重取りを防ぐことが不可能だからです。

例えば、一人5枚をドラッグストアの店舗や行政の窓口で渡すということになった場合、どのようにすれば二重取りをしていないかチェックできるでしょうか。ICチップに電子証明書の機能を搭載しているマイナンバーカードであれば、それが簡単にできます。

そうした日本の状況を鑑みると、郵便で世帯ごとに配るのが相対的に効率がいいことは、鳩山由紀夫《はとやまゆきお》政権の内閣官房副長官だった松井孝治《まついこうじ》氏ですら認めていました。郵便で届けるよりも早くて安い配布システムは日本には存在しません。

それにもかかわらず、「減税や現金交付をやるべきなのに、マスクを送るとはおかしい」、「磯野家（サザエさん）のような大家族はマスク2枚でどうすればいいのか」、「『お肉券』

『お魚券』のほうがよかった」などという批判や誹謗が多く飛び交うのを見ていると、まさに衆愚《しゅうぐ》の極みだと感じざるを得ませんでした。

「全世帯にマスク2枚郵送？　なら『政府小切手（≒現金）』を送れるのでは」などと書いた国会議員もいましたが、迅速に配ることを主眼としたマスクは小切手などとは違い、少しくらい漏れやダブりがあっても問題にはなりません。とりあえず、いまマスクが「1枚もない」とか「1枚もなくなるのではないかと心配だ」という人をかなり減らすことができたら、買い急ぎや買いだめも抑えられるはずです。

「マスクを個人個人に市町村の窓口に取りに行かせたらどうだ」という意見もナンセンスです。市町村で窓口を設けて、いちいち本人確認をして重複がないように渡すのに、どれだけの人件費がかかるのか計算してみたらどうでしょうか。

マスク不足は、政府や各種団体、篤志家と名乗る人が勝手気ままに医療関係者用マスクを買い集めているので市場に出ず、市場に出た分は暇な年寄りが開店前からお店に並んで買い占めていることから起こっています。

そうした動きに対して、「マスク2枚配布」は最低限のものを配ることで買い占めを無力化する意味がありました。しかも、この方式は北海道で「そこそこ」機能することが実証されていたのです。

すでにマスクを十分持っていて、政府からのマスクは要らないという人もいるでしょうから、不要分を市町村あたりが回収して多人数の家族に回すなどのシステムをつくっていけばいいと思います。

しかし、残念なことは、一部に不良品が出たことから検品するまで配布を一時、遅らせたことです。もともと、少々の問題があっても拙速を以てよしとするという趣旨でこのプロジェクトは考え出されたものです。

それならば、不良品があったら交換すればいいだけのことです。少々、汚れていたら洗えばいいだけでした。それを回収してしまって、もっとも必要なときに間に合いませんでした。

それでも、いつかマスクが来るから買い占めはしないでいいという安心感は与えましたし、そのことで買い急ぎを控えさせる効果はありましたが、バカげたことでした。

権利ばかり主張する高齢者の身勝手世代には立憲民主党支持が多い

マスクについては、年寄りがマスクを買い占めていたことについてあえて苦言を呈したいと思います。私自身も高齢者といわれる世代なので遠慮なくいえるようになりましたが、日本の中高年齢層のモラルの低さ、自己中心的思考、そして国や社会への甘えは目に余ります。

4月になってドラッグストアでは開店前に行列ができていたりしました。そして、暇な人たちが自分に必要な量を超えて買い占めることから、マスクの品薄状態が続きました。

彼らは早朝から互いに場所取りを助け合いながら一日に数カ所を回り、「今日は100枚ゲットした」「私は300枚持ってる」「私は500枚だ」「昨日は3軒回った」……などと、もはや老人クラブ的なゲームと化しました。ネットでの情報交換も盛んで、こちらもゲーム感覚で行われています。その結果、必要としている人にマスクが行き渡らず、一人で何百枚もため込む高齢者が続出しました。

確かに、今回の新型コロナウイルスは高齢者の犠牲が特異的に多いのが特徴となっていることから、高齢者が過敏に反応する気持ちもわかります。しかし、家にじっとしていれば安全が保たれるのに、感染の恐れもある中でわざわざ出かけていって、密集して行列をつくるのは本末転倒もいいところです。

六辻彰二さんという国際政治学者が、

ダイヤモンドプリンセスから下船してそのまま寿司屋に行った人、既に感染者が出ているなかで海外旅行に出かけ、帰国した後にジムやスナックに通っていた人、昼間からトイレットペーパーの買い溜めの行列に並ぶ人、挙句にドラッグストアの店員を恫喝したり、「コロナをうつしてやる」と騒いだ人……

と、高齢者の傍若無人ぶりを指摘していますが（「なぜ特に若者に外出自粛を呼びかけたか――行政とメディアの顧客びいき」Ｙａｈｏｏ！ＪＡＰＡＮニュース3月29日付）、本当にひどいものでした。

なぜ、中高年は権利意識ばかり強くなったのかといえば、戦後教育の副作用だと考えられます。

ただ、私は戦後教育を否定しているわけではありません。昭和30年代あたりまでは、まだまだ戦前的な価値観も強固であり、社会的には「義務」が強調され、権利意識が低かったのも事実です。そのような中で、個人の「権利」の大事さに目覚めさせようと教育するのは重要なことでした。

しかし、その副作用として生まれたのが、「自分さえよければいい」という自己中心的思考です。特に、高度成長期までは、経済が成長してもそれが生活の向上に反映されるのはワンテンポ遅れていましたから、日本人は我慢しすぎという理屈もありました。

ところが、オイル・ショック以降はこの逆となりました。経済が成長していないのに生活水準が上がっていき、主張する権利ばかりが大きくなっています。財政赤字が増えても、自分に害がなければ平気なのも一例です。また、年金というのは、経済が成長しているときなら、払い込んだ分よりもらう分が多くなるというアンバランスでも成立しますが、成長がないなら払った分しかもらえないというのは当然です。

しかし、いままさに年金をもらっている世代というのは、高度成長期の甘い仕組みだけは利権化し、しかも「経済成長を目指すことは悪いことだ」などといって成長の邪魔をしながら、果実だけを求めています。

その結果が、立憲民主党や共産党のような権利意識だけ突出した政党への支持がこの世代だけ突出し、社会的な迷惑行為もお構いなしという行動に現れています。

とはいっても、保守支持層も決して褒められたものではありません。「財政赤字を積み増ししても大丈夫」「減税したほうが増収になるから大丈夫」という、非常識なMMT理論（現代貨幣理論：国はいくらでも国債を発行してもいいというような考え）を持ち出し、都合よく同じような甘い政策を求めているのですから、結果としては、立憲民主党や共産党の支持者と似た者同士だといえます。

私は京都に住んでいますが、かつて、京都では革新府政のもとで、将来への投資よりバラマキばかりしていました。それに対し、バラマキ批判という有権者に受けない主張を勇気を持って行い、府政や市政を正常化させることができました。その京都で、MMTなどの考え方を主張している人が多く、彼らと共産党などの主張とどこが違うのかわけがわからなくなってきました。

江戸時代の飢饉と現代のマスク不足に共通するはた迷惑な善意

今回のマスク不足騒動を見ていて、江戸時代に同じようなことがあったことを思い出しました。

江戸時代の政治家で「寛政の改革」（1787〜1793年）を老中として断行した松《まつ》平定信《だいらさだのぶ》という人がいます。大変なインテリで倫理観も高く、明治の実業家・渋沢栄一《しぶさわえいいち》はこの松平定信を尊敬し、『楽翁公伝《らくおうこうでん》』という書物を書いているほどです。「楽翁」とは松平定信の隠居後の号です。

ところが現代では、松平定信の前の老中で、定信の天敵ともいうべき田沼意次《たぬまおきつぐ》の評価が高くなり、定信の評判は散々となっています。その定信を尊敬していた渋沢栄一が今の時代にもてはやされるのは、私はバカげていると思います。

渋沢栄一は、大企業が発展して安定し、普通にやっていれば儲かる時代の権化です。社員を大事にし、社会貢献もみんなで足並み揃えてしましょうという時代のリーダーとしては最適でした。現在のような、殻を破って新しいことにチャレンジすることが求められているグローバル時代には目標とするべき人物像ではないように感じます。来年（2021年）、NHKでは渋沢栄一を主人公とする大河ドラマを放送する予定だといいますが、時期はずれではないでしょうか。

さて、この松平定信ですが、老中として当初はそこそこ成功したのは、ある意味で運がよかったといえると思います。田沼意次の時代の末期には「天明の飢饉」があって大量の餓死者まで出たのに対して、定信の時代には気候も改善し、豊作になったことが大きいでしょう。

松平定信は、徳川吉宗《よしむね》（8代将軍）の次男である徳川（田安）宗武《むねたけ》の三男です（夭折した子の数え方が難しいですが、「実質的に」という意味で）。

宗武は出来がよかったので、将軍にという声もありましたが、吉宗の長男の家重《いえしげ》（9代将軍）が跡を継いだので、宗武は冷遇されてしまいます。田安家を創設して将軍の控えのような地位にありましたが、嫡子だった定信の兄は若くして死に、そのときに次兄は松山藩に、定信自身は白河藩に養子に出されていたので、田安家は取りつぶしとなりました（後に一橋家系が相続）。

天明の飢饉の頃は、定信は白河藩主としての仕事をしていましたが、いち早く食糧の囲い込みに成功し、一人の餓死者も出さなかったことから称賛されているのです。

この時代、飢餓対策は各藩の仕事でした。その結果、気の利いた殿様は米の買い占めを行って、不公平な配分が行われました。買い占めを行ったとしても、飢餓を防いでくれた殿様を「名君」と呼ぶのは地元としては当然かもしれませんが、出遅れた藩では餓死者を大量に出してしまったのです。天明の飢饉は、江戸時代の地方分権システムが生んだ人災であり、そのような殿様の存在を許した幕府は大バカでした。

つまり、江戸時代の飢饉による餓死を引き起こした原因は、全国の殿様たちが米の買い占めを行ったからだということになります。

今回のマスク騒動はこれと似ています。市場にはほとんど出ることはなく、地方自治体や大企業が買い占めて、自分の息がかかったところに気ままに卸している状況が続いています。暴利を貪っていることはないと信じたいですが、結果として、その恩恵に浴さない人は手持ちのマスクが1枚もないということになったりしました。

そんな買い占めを行った上で、住民に配布した自治体や慈善家が称賛されていますが、まさに米を買い占めた松平定信と同じです。社会システム全体から見れば、彼らがマスク不足の張本人にほかならないのです。

第五章

ヨーロッパ、アメリカはコロナでどうなる？

イタリア・ナポリ大聖堂
©Getty Images

世界史を大きく変えてきた伝染病の流行

新型コロナウイルスのパンデミック（世界的大流行）は、伝染病の流行がしばしば世界史を変えるほどの大事件だったことを、改めて人々に思い起こさせました。

古代ギリシャではアテナイ最高の政治家であったペリクレスを破滅させ、14世紀におけるペストの流行は「ルネサンス」を生み出す契機となり、20世紀にはエイズの流行が人々のセックスに関する価値観に大きな影響を与えています。

では、伝染病の流行は世界史をどう変えてきたのか、その歴史を振り返ってみましょう。

世界史上最大のパンデミックは、14世紀におけるペストの流行です。ペストは、モンゴル軍の侵攻で東西交易が盛んになることで、クマネズミに寄生するノミを宿主として西ヨーロッパに拡がりました。1億人ほどの人口だった西ヨーロッパで、1348～1353年の間に2000～3000万人が死んだといわれています。

その間、「ユダヤ人の仕業」だとして大規模な迫害が行われました。また、英仏百年戦争（1337～1453年）は100年間ずっと続いたのではなく、イギリス側優位の戦況となったもののペストで沈静化しました。

そもそもはフランス王フィリップ4世の外孫である英国王エドワード3世のフランス王要求で始まったのちに休戦となり、その後、エドワード3世の曽孫のヘンリー5世がフランス王女と結婚したことで再開され、それで100年もかかったのです。

「黒死病」と恐れられたこのペストの大流行は、中国発でイタリア北部が最悪だったという点で、今回の新型コロナに似ています。これをきっかけに、感染が疑われる地域からの船をベネチアで30〜40日停留させる検疫制度が考案されるということもありました。

また、人口減のために農民が不足したことから地主に対しての立場が強くなり、自作農が多くなったことが14世紀にルネサンスを生む社会的背景となりました。

モンゴルに打ち破られ、彼らが持ち込んだペストで打ちのめされたイタリアは、その地獄の中から黄金のクアトロチェント（イタリア語で「400の」の意。1400年代、15世紀を指す）にルネサンスの花を開かせました。そして、それがヨーロッパ文明による世界征服の契機となっていくのです。

歴史をさかのぼると、古代ギリシャ世界全域を巻き込んだペロポネソス戦争中の紀元前429年、「アテナイのペスト」（天然痘、チフスなど諸説あり）が流行し、アテナイの大政治家ペリクレスも死亡します。海軍力をたのんで籠城戦術を取ったのが裏目に出て、アテナイの没落のきっかけになりました。

ローマ帝国では165〜180年にかけて「アントニヌス帝のペスト」が流行し、五賢帝の時代が終わるきっかけになりましたし、東ローマ帝国の541〜542年には「ユスティニアヌスの斑点」によって、東西ローマ帝国の統一と再建を目指したユスティニアヌス帝の足を引っ張りました。

それから約10世紀後、アメリカ大陸の発見は、旧大陸に梅毒、新大陸にインフルエンザや天然痘をもたらしました。梅毒はイタリアからフランスにシャルル8世の遠征軍（イタリア戦争）がもたらし、日本にもすぐにやってきて多くの戦国武将が罹患し、加藤清正や結城秀康（徳川家康の次男）、前田利長などが梅毒で死亡したとみられています。

1918年〜1919年の「スペイン風邪」の正体はインフルエンザで、約5億人が感染し、死者は5000万人〜1億人といわれています。アメリカで広まっていたのが、アメリカ軍の大戦参戦とともに欧州全域に拡がりました。士気を維持するため、報道を規制したことも感染拡大に拍車を掛けました。しかし、このスペイン風邪の流行が第一次世界大戦に対する厭戦気分を増して、戦争の収束の原因ともなったのです。

いずれにせよ、パンデミックはすべての国家や民族にとって災難ではありますが、世界の歴史を見れば、それは常に逆転のチャンスにもなっています。その意味で日本にとっては、どれだけ「禍いを転じて福と為す」ことができるかの正念場ともいえます。

サッカーの「奇跡の準々決勝進出」の代償で感染爆発？

中国での流行に端を発した新型コロナウイルスの流行は、一斉休校というショック療法が功を奏したのか、3月下旬には何とか「元寇」を水際で撃退したように見えました。

しかし、欧州ではるかに深刻な形で蔓延したウイルスが日本に逆上陸して、4月以降は猛威を振るいました。「元寇」でたとえるなら、博多湾の防塁を突破されて、さらなる激戦を繰り広げているといった情勢でした。

この第一波と第二波では、同じアメリカの軍隊でも幕末のペリー艦隊と、太平洋戦争末期のマッカーサーの米軍くらいの力の差があるかもしれません。

欧州でのウイルスの猛威は途轍《とてつ》もありません。あのオスマン帝国末期の内務大臣の子孫たるジョンソン首相も（父祖はトルコ人）、十字軍の英雄の子孫たるチャールズ皇太子も、あえなく被弾し負傷。甲冑も大法螺《おおぼら》も役に立たなかったようです。

もちろん、現状では中国で流行したウイルスとイタリアなど欧州で感染拡大するウイルスがどう違うかなどは十分に解明されていない状況です。ただし、ミラノで蔓延したウイルスは、フン族のアッティラがごとく欧州諸国を一気に覆い尽くし、アメリカまでも呑み込んでいるのは紛れもありません。

アメリカは、中国や韓国から持ち込まれる流行にはそれほど動じませんでしたが、欧州からの来襲には白旗を揚げるしかありませんでした。

中国は、欧州での流行の怖さを身に染みて理解しているので、その逆襲を恐れて鎖国状態になっています。

日本では、「東京五輪の延期が決まった途端、感染者数の発表が増えた」と騒いでいる「アベノセイダーズ」の面々もいましたが、あの時点で増えたのは、欧州などからの駆け込みの帰国者のせいであることはまず間違いありません。アメリカでの感染者の増大も同様の理由です。

学校の休みやイベントの開催自粛などが長期化し、ちょうど国民がたるみ始めたころに、ヨーロッパから第二波がやってきたのです。政府は、「中国からの第一波より何倍も怖い第二波がやってきた」というわかりやすいメッセージを国民に出してでも緊張感を高めるべきでした。

しかし、3月あたりから欧米からの帰国者が感染クラスターの元となるニュースが後を絶ちませんでした。4月28日のTBSニュースでは、日本国内では「ダイヤモンド・プリンセス号」を起点とするウイルス株は検出されておらず、また中国・武漢からの第一波の感染クラスターも抑え込まれていたことが国立感染症研究所の調査でわかったと報じています。その一方で、3月末から全国各地で確認されている第二波の「感染リンク不明」の症例はヨーロッパやアメリカからのウイルスで、旅行者や帰国者からもたらされ、数週間で全国各地での感染拡大につながった可能性が高いとしています。

なぜ、封じ込められなかったかは、韓国との比較であとで説明します。

新型コロナウイルスがヨーロッパに飛び火し、それがどうしてイタリアとスペインで蔓延したのかは謎のままです。

中国との強いつながりを指摘する人もいますし、医療体制が劣悪だという人もいます。しかし、このふたつについてはまったく説得力がありません。

まずは、「2月のサッカーの試合が原因」という説と、「オリーブ油が新型コロナを重症化する」という、少し変わった説を紹介したいと思います。にわかに信じられる説ではないようですが、それほど荒唐無稽な話ではありません。

イタリアの新型コロナ蔓延で、まさに医療崩壊で地獄の様相を呈しているのは、ロンバルディア州東部の中心都市であるベルガモです。

中世にあって、このベルガモを拠点に「ベルガモ飛脚」と呼ばれる郵便業者を組織したのがトゥルン・ウント・タクシス家です。ヨーロッパの郵便網を発展させて、近代郵便の原点といわれるライヒスポスト（神聖ローマ帝国の郵便事業）を管掌していました。

第二次世界大戦の戦火を逃れ、いまも中世を偲ばせる町並みが残り、多くが世界遺産に登録されています。私も１９８０年代の留学中に訪れたことがあります。ミラノ・スカラ座にオペラを見に行くとき、昼間に鉄道で足を延ばしました。

そして、ここにセリエＡに属する「アタランタＢＣ」というサッカーのチームの本拠があります。２０１８－２０１９のシーズンには３位となり、２０１９－２０２０シーズンのＵＥＦＡチャンピオンズリーグに進出。決勝トーナメント１回戦でスペインのバレンシアＣＦに２連勝して準々決勝に進出したことで街は歓喜に沸きました。

そのバレンシアＣＦとの試合が、ベルガモのスタジアムが狭いということで、８万人を収容できるミラノのサン・シーロで2月19日に開催。ベルガモ市民の3分の1（約4万人）がつめかけ、スペインからも大応援団が来たといいます。

この試合の後の2月後半から、イタリアではミラノやアタランタBCの本拠地であるベルガモがあるロンバルディア州を中心に新型コロナウイルスの感染が急速に拡大しました。3月下旬の段階でイタリアでは感染者が8万人を超え、死者数は約8200人と世界最多となってしまったのです。選手も35％が罹患したことから、新型コロナの流行爆発は、この試合が原因ではないかともいわれています。

フランスでも、リヨンにおいてリヨン対ユベントス（イタリア・トリノ）のUEFAチャンピオンズリーグの試合が、「スタジアムは開放空間だから問題ない」「トリノは流行地域から遠く離れている」と、リヨン市長やフランス保健相が開催を後押ししたことから2月26日に決行されてしまいました。

直接の因果関係は証明できないものの、フランスもその後に感染が拡大しましたから、サッカー原因説はそれほど無理な推測ではないようです。

風邪薬と同じ鎮痛成分が入っているオリーブ油が危険？

ヨーロッパでの感染の拡がりの原因としてささやかれたものに「オリーブ油説」もあります。

事の起こりは、フランスのヴェラン保健相がツイッターで「新型コロナウイルス感染症にかかったらイブプロフェンなどの薬を飲まないように」という趣旨の発言をしたことにあります。「イブプロフェン」は、一般医薬品として広く流通している非ステロイド系消炎鎮痛剤としておなじみです。

ＷＨＯは当初、イブプロフェン使用による悪化は調査段階であり証明されていないものの、新型コロナウイルス感染の疑いがある場合は、イブプロフェンより抗炎症作用の少ないアセトアミノフェンの使用が望ましいとしていました。しかし、その後、治療に当たっている医師への調査の結果、通常の副作用以外に症状を悪化させたという報告はなかったことから、「控えることを求める勧告はしない」と見解を修正しています。つまり、イブプロフェンの無実が宣言されたといってもいいでしょう。

イブプロフェンは、日本でも鎮痛剤や解熱剤として使われ、市販の多くの風邪薬にも含まれています。ただし、イブプロフェンなどの非ステロイド系消炎鎮痛剤はインフルエンザの際に用いると、インフルエンザ脳症を発症した場合には悪化する恐れがあるとされていて、解熱にはアセトアミノフェン（別名：パラセタモール）を用いることが日本でも推奨されています。

日本小児科学会理事会においても、「非ステロイド系消炎剤はインフルエンザ脳炎・脳症の発症因子ではないが、その合併に何らかの関与をしている可能性があり、インフルエンザ治療に際しては非ステロイド系消炎剤の使用は慎重にすべきである」としています。

そうしたこともあって、鎮痛剤は最近では「カロナール」などの製品名で知られるアセトアミノフェンを使う医者が増えているようですし、私もそちらを使うようにしています。「ボルタレン」もイブプロフェンなどと同じ非ステロイド系消炎鎮痛剤に分類されることから、基本的にインフルエンザには慎重投与という専門家もいます。

さて、長々と説明してきましたが、このイブプロフェンと似た成分がオリーブ油に含まれていることから、それがイタリアやスペインでの大流行と関係あるのではないかと騒ぎになったというわけです。

これまでオリーブ油は、その成分による消炎作用があることから、体によいといわれてきました。

例えば、キリンのサイトには「のどに刺激を与える消炎成分をオリーブオイルから発見」と題した記事がありました（現在は非掲載）。ＮＰＯ団体のモネル化学感覚研究所のギャリー・ビーチャム所長が以下の報告をしています。

エクストラバージン・オリーブオイルのテイスティングをしたのです。（中略）収穫したばかりの極上のエクストラバージン・オリーブオイルを飲んだのですが、そのとたんに驚きました。液体のイブプロフェンを飲み込んだ時とそっくりの、のどが焼け付くようなピリピリした刺激を感じたからです。

もしもエクストラバージン・オリーブオイルに天然の消炎成分が含まれているなら、地中海料理が体にいいのは、オリーブオイルを使った料理で日常的に少量の消炎成分を摂取するからなのかもしれません。地中海料理は、心疾患、一部のがん、アルツハイマーなどの神経変性疾患の発生率を抑えるといわれています。すでに、イブプロフェンの長期的摂取がこうした疾患に効果を発揮するといういくつかの証拠が明らかになっているので、地中海料理に同様の成分が含まれているとすれば、つじつまが合います。

天然の産物に薬用成分が含まれていることは珍しくありませんし、だからこそ漢方薬も存在します。つまり、オリーブ油が体によい要素は多々あることは認められるものの、そのことを裏返せば、同等の副作用があるのも当然です。

先の「イブプロフェンについて治療に当たっている医師への調査の結果、通常の副作用以外に、症状を悪化させるという報告はなかった」というＷＨＯの見解は、逆にいうと通常の副作用はあるということとも受け取れます。

いずれにしても、体によいといわれる健康食品には、必ず副作用もあるものです。それを避けるには、偏った食生活はやめたほうが無難ということです。

ことさらオリーブ油を怖がる必要はありませんが、新型コロナ対策としてはバランスのいい食生活もささやかな防衛策となるはずです。

ドイツより高い医療水準を誇るイタリアやスペイン

ミラノ発の大流行について、「イタリアやスペインの医療体制が劣悪だから感染者が一気に増えた」などと誤解している日本人も多いようです。

（イタリアで新型コロナウイルスが蔓延した理由として）どうもEUの圧力で財政緊縮策として医療費削減をやっていたようで、今回のような時に中国と同じく医療の現場の貧困さが露呈します。医療レベルが下がると、たかが「風邪症候群」でも死ぬ人が増えます。ですから、日本では今回のウイルスでも死亡率はずっと低いです。当然です。（『空飛ぶドクターのブログ』より）

などとブログに書いている医者までいますが、実はイタリアの医療体制は非常に整っています。

世界の各国の平均寿命を見てみると、スペインとイタリアはヨーロッパ有数の長寿国で、スペインで83・33歳、イタリアが83・24歳、フランスは82・52歳、そしてドイツが80・99歳となっています（２０１７年データ。ちなみに日本は84・10歳、イギリスは81・16歳、アメリカ78・54歳）。スペインとイタリアは平均寿命ではドイツより２歳以上も長いことをご存知の上での議論ではないでしょう。

普通に考えると、平均寿命が長い国の医療体制が、短い国のそれより劣悪などということはあり得ません。そういうと、気候や食生活を持ち出す人もいるでしょうが、日本国内の都道府県別の平均寿命を見ても、気候や食生活（肉の消費量や魚の消費量）と平均寿命とはいかなる相関性も見出せません。

イタリアは過剰医療で国がもたなくなってきたので、ドイツなどを見習って医療水準を少し下げてもいい（オブラートに包んで表現すれば「合理化」）のではないかといわれているのであって、イタリアの医療水準が少し以前よりは低下気味だとしても、現在のドイツなどと比べてもともと低いという根拠はありません。ただ、イタリアでは２００７年からマスクや防護服などの備蓄が計画されていたものの、実施が遅れていたのが命取りになったようです。

ドイツがフランスと比べて新型ウイルスの流行がまだましなのは、イタリアとの距離がある点が見過ごされています。特に、ミラノ地方は地中海やモンブラン・トンネルを通じてフランスと直結していますが、ドイツは中間にスイスやオーストリアといった緩衝地帯があります。あとは、なにしろコッホの母国ですから感染症対策は歴史的に進んで衛生にも力を入れているとはいわれています。感染流行の遅れを国の医療体制に求めるのは根拠が何もないのです。

日本でも、病院のベッド数を多くしろとかいう議論もありましたが、感染症の大流行にそなえるために、日常的には不要なベッド数を抱えるのは愚劣で、医療コスト全体を圧迫し、無駄な入院を増やすだけです。

今回、ホテルを入院病棟代わりに使って成功しましたが、日本ではこの方式が現実的だと思います。こうしたホテルは、ふだんはホテルとしてつかっているものを臨時使用したものですが、例えば、入院するほどのことはない場合でも、病院の近くにホテルがあって、有料である程度の医療サービスの提供も受けられるなどというものがあれば重宝だと思います。

カトリック信者が多くを占めるイタリアでは、危篤になった新型コロナ感染者が臨終を迎えるとき、懺悔《ざんげ》を聞いたり祝福を与えたりした聖職者らが、続々と命を落としていて、医師の死亡を上回っているともいわれています。

3月中旬の時点で、カトリック系の新聞によると、感染の最も深刻なベルガモでは、少なくとも10人の聖職者が死亡しているといいます。イタリア全体では少なくとも聖職者18人の死が報じられていて、亡くなった医師の13人を上回っていたそうです。聖職者はマスクと帽子と手袋とローブ、防護用の眼鏡を着用するようになりましたが、3月25日までにカトリック司祭67人が亡くなり、ベルガモ教区では22人を数えました。

ローマ教会の中でも「教会を開けておくべきかどうか」ということについて、閉鎖を主張するイタリアの聖職者と、閉鎖に消極的なフランシスコ教皇が対立していました。しかし、その教皇自身も自分の手に触れようとした信者を手で払う姿の動画が出回り、ハンセン病の患者に触れて治したイエス・キリストと比較されて、話題にされました（のちに1月2日の動画と判明した）。

イタリアでは、医療関係者の死者が100人を超えましたし、スペインは患者の4分の1が医療関係者です。

「佼成新聞DIGITAL」5月7日号は、「（4月）26日現在、1万9942人の医療従事者が感染し、150人の医師と35人の看護師が殉職した。しかし、医師や看護師の不足に対応するため、政府が医療支援ボランティアを募集したところ、定員を数倍も上回る応募があったという。定年した医師たちが復職し、中には80歳を超える医師が現場に復帰して殉職したケースもある。

厳しい現場を体験してきた彼らは、多くを語らない。ただ一言、こう口をそろえる。『人の命を救うのが医師（看護師）の任務だから』。」とイタリアの状況を報じています。

フランスでも医師の死亡が相次いでいますが、その第一号はコンピエーニュの病院に志願して応援していた引退医師でした。マダガスカル出身だった彼は、「故郷の風習に従って故郷に埋葬してほしい」という願いもかなえられなかったとして、人々の涙を誘っています。

最初は躓いたが悲愴感で人気回復のジョンソン首相とクオモ知事

イギリスでは、ボリス・ジョンソン首相が3月27日に新型コロナウイルスに感染したことを明らかにし、その後、回復せずに入院の破目となりました。そして、感染公表からちょうど1カ月経った4月27日、職務に復帰することができました。

3月初旬には「新型コロナウイルスに感染した患者たちとも握手をした」と豪語して失笑を買っていた姿とは打って変わって、復帰の会見では「最大限の危機のときだ」と国民に警戒を緩めないよう訴えました。

まだ自身の感染が発覚する10日くらい前までは、新型コロナウイルスに対してなかなか過激な発言で注目を浴びていたジョンソン首相。3月12日に行った記者会見では、何しろ「自分は英国民に対して正直に言わなければならない。より多くの家族が、彼らの愛する人たちを寿命に先立って失うことになる」とまでいっています。

70歳以上の高齢者や持病のある人に数カ月の間、外出を控え、他の家族との接触も控えるように要請する代わりに、学校は閉めず、イベント開催の自粛にも消極的でした。

実は、これはこれで筋の通った対応だと思われました。つまり、若い人はかなりの割合で新型コロナウイルスに感染して免疫をつけてもらい、年寄りは引きこもってもらって感染しないように徹底的に自己防衛してもらうということ。もし不幸にして感染した場合、かなりの割合が死んでも仕方ないという割り切った政策だったのです。

これまでの感染症との戦いの例からいっても、本当にその病気が怖くなくなるのは、国民の多くが感染して免疫を持ったときです。

感染のスピードが緩やかだと、広まる間に重症者を手厚く看護できますし、よく効く薬も開発されるかもしれません。そのため、死亡者数はそれなりに抑えられることになると思われますが、その代わり経済活動も長く沈滞することになります。

そこで、罹患しても滅多に死なない若い人や子供には、そこそこかかってもらって、早く決着を付けてしまおう――イギリスはそういう方針だったわけです。

そのため、学校を休校とせずに子供に適当にかかってもらうのは悪い話でもないと思われました。ただし、高齢者や病気持ちは数カ月間、ほとんど外出せずにおとなしくしてくれていることが条件となります。

一応、論理が完結しているという意味では真っ当な話でした。日本では、愚かな有識者が「イギリスでは学校を閉めない」というところだけ切り取って、まるで鬼の首を取ったかのように日本政府の対応を非難したのは無責任といえるでしょう。なぜなら、日本人が「感染を拡大させて免疫を付けよう」などというような対策を支持するはずがないからです。

そして、イギリス国内の科学者などが大反対し、さらに超名門大学インペリアル・コレッジ・ロンドンの新型ウイルス対策チームが「約25万人が死亡し、国民保健サービス（NHS）が破綻するだろう」と予測するに至ります。3月16日、それを受けて、イギリス政府は「緩和」から「封じ込め」へと方針転換をすることとなりました。

そして、20日より学校の一斉休校を実施し、同日夜からカフェやパブ、レストランを閉鎖、さらに23日には「外出禁止措置」を発動し、生活必需品の購入などを除いて外出は禁じられ、違反者に対しては警察が罰金を含む対応を行うことになりました。

なお、イギリスで感染が爆発してしまったのは、ジョンソン首相をはじめとする国の首脳陣の油断もありましたが、それこそ医療体制が劣悪だからです。イギリスの場合、公的保険によって原則無料というのがウリですが、その代わりにサービス内容はかなり低いのが実情です。

そのため、新型ウイルスに対しては脆弱であることが懸念されていたのですが、その予想が当たってしまいました。医療費無料の高い代償を払ったというわけです。

ところが、このジョンソン首相の支持率が新型コロナに罹ったことで同情されて上がっているのです。

また、ベルギーでは、人口当たりの死者が最悪なのですが、女性のソフィー・ウィルメス首相の支持率は上がりました。

アメリカでは、ニューヨークとカリフォルニアで明暗がわかれました。トランプ大統領が3月下旬、ニューヨーク州などで都市封鎖を検討している段階でクオモ州知事は、「連邦政府による州への宣戦布告であり、完全封鎖は中国・武漢で行われたことで、我々は中国でもないし、戦時中でもない」と反対し、学校の長期の休校を主張したデブラシオ・ニューヨーク市長とも対立しました。

結果として、都市封鎖に踏み切った3日ほどの差がニューヨークを地獄にし、無事だったカリフォルニア州と差が目立っています。カリフォルニア州では2月下旬、国内で初めて市中感染が確認され、3月初めまでは西部ワシントン州に次いで感染者数が多かったのですが拡がらなかったのです。

他州に先駆けて「外出禁止令」を出した西部カリフォルニア州が感染拡大を比較的鈍化させ、数日遅れたニューヨーク州では感染爆発状態が生じたのです。

それでは、クオモ知事がなぜ支持されているかといえば、ひとつは、トランプの支持率も上がっているように、ヨーロッパでもアメリカでも危機のときは無条件に現職指導者が支持される傾向があることです。日本のようにリーダーの足を引っ張らないのです。

第二はトランプとの良好な関係です。大統領の個人批判はしないし、軍など連邦政府の援助もうまく引き出しています。連邦政府軍の工兵隊によって数千床の野戦病院を建設させたり、人工呼吸器を他州に優先して配布してもらったり、米国に2隻しかない病院船の1隻をニューヨーク港に回航してもらいました。そのあたりは、日本でいえば、大阪府の知事や市長に近いかもしれません。

第三は、天性のプレゼンテーション能力です。「新型コロナ危機は、人類全体の苦痛、心理的な疲労、不安、恐怖だ。（中略）しかし、できることはなんでもやる」といった短いセンテンスでの明快な表現は秀逸です。

パリの社会党市長が〝安倍方式〟で布マスク配布

ＷＨＯは、多くの国において「マスクをしたほうがいいのではないか」という懸念が存在することを認めてはいるものの、「感染防止に対する責任感の証として認識されている」、「みんなができる防止策」、「精神的な効用が主である」ことなどを強調しています。そして、高機能マスクは医療関係者に使わせるべきものであり、一般人は欲しがらないように訴えています。

イギリス政府の最高科学顧問は、これまでマスクを勧めてこなかった見解を変えるかどうかは検討中であるものの、うつされないためにマスクをするというより、無症状の感染者が他人に感染させないためにマスクが役立つという考え方のほうがより説得力があるように思うとしています。

そもそも欧米にはマスクをするという習慣がありません。彼らはマスクの効用を信じていませんし、何よりも人前で顔を隠すことは異常に思えるようです。つまり、マスクとは東洋の習慣、あるいは迷信でしかないという位置付けなのです。

前出の最高科学顧問は、マスクをするという東洋の習慣を採り入れて、イギリス人も顔を覆うという行為を秋までにすることになりそうだと結んでいます。

これほどグローバル化が進んでいるのに、価値観の違いには驚かされます。

国際的にマスクの捉え方には違いがあり、日本国内でも効用についてはいろいろな議論がありますが、私なりに整理してみると以下のようになります。

①日本では「マスクをしていれば大丈夫」という迷信があり、手洗いなどが軽視されていると訴えるマスク批判論もある。「マスクより手洗いが大事」という指摘は最も重要であり、それはいまもまったく正しいことだ。また日本では、素手で現金を受け渡ししたりタッチパネルが使われたりしているがとても危険だ

②マスクは感染者がするのは意味があるが、非感染者にはそれと同じ意味はないというのも変化はない

③最初は発病者から感染するといわれていたのが、発病していない感染者からも感染する

ので、念のためにマスクをしたほうがいいといわれるようになった
④インフルエンザよりウイルスが遠くまで飛ぶようなので、インフルエンザの場合よりはマスクの意味があるだろうという説も出ている
⑤どっちにしても、少しでも感染リスクを減らす「可能性」があるなら、「ないよりマシ」ということでマスクをするに越したことはないといわれるようになった

いずれにせよ、マスクの感染予防効果は多少なりともあるものの、「マスクをしているから絶対に安全だ」などと、間違っても考えるべきでないことには変わりありません。

また、今後も欧米でマスクがもてはやされ続けるかどうかも不明です。

ところで、フランス社会党左派でパリ市長のアンヌ・イダルゴ氏が、安倍首相を真似したのか、市民に布製マスクを配布することにしました。その理由は「ないよりまし」――まさにその通りです。

一世帯に2枚というのでなく、一人1枚ということができるのは、フランスのマイナンバー制度がしっかりしているからです。

パリの日本語タウン誌である『オヴニー』の記事を書き出してみましょう。

コロナ：パリ市、市民にマスク配布を準備。

アンヌ・イダルゴ＝パリ市長は、4月7日、ラジオ局フランスアンフォの朝の番組で、パリ市民にマスクを配布する意向を語った。

「どんなタイプのスカーフでもマスクでも無いよりよい」。条例として正式には発せられていないが、イダルゴ市長はマスク着用を全市民に「強く推奨」。すでに、30社ほどの社会貢献性の高い企業に水温60度で洗濯も可能な布製マスク200万枚を発注済みで、準備が整い次第、市民に無料で配布する。具体的な日程、配布方法などは明らかにしていない。


しかし、日本のマスメディアはこれを「安倍マスクのフランス版」などとは絶対には書きません。文在寅大統領の真似をしたというなら大々的に報道するでしょうが、安倍政権と同じことをしても報道しないことでしょう。

イギリスのジョンソン首相が国民に手紙を出したらしいですが、逆に安倍首相が手紙を出して、ジョンソンがマスクを配ったら、「ジョンソンはマスクを配ったのに、安倍は手紙だけ」と散々いったに決まっています。

第六章

日本よ、いまこそ変革のチャンスだ

kanegen／flickr

マイカーの復権と外食文化の変化

国の「緊急事態宣言」を受けて、東京都が出す「休業要請」の対象に、理美容を範囲に入れるかなどで小池都知事が前向き、政府は慎重ということで対立していたようでしたが、とりあえず範囲は広めに取ってもいいと私は思いました。しかし、だらだらと長期化するのは反対でした。むしろ、思い切って一度世間の活動を止めて、感染の様子を見たり、感染防止策を講じてから部分解禁をしていくやり方のほうがいいのではないかと私は考えていました。

当初はやはり危機感が薄かったのか、通勤客については減り方があまりにも緩やかすぎたのが心配でした。それまでのリモートワークの導入で感染者が順調に減っていたならいいですが、そうはなっていない状況が続きました。このままでは一気に感染が拡がらないか心配でしたし、緊急事態の中、いつまで経っても電車に乗って会社に通い続ける会社員の姿は国際的にもイメージが悪すぎます。

商店や飲食店については、正直者がバカを見ないように、自粛の基準はできるだけわかりやすく示すべきでした。

例えば、外食については、レストランだ居酒屋だスナックだとか業態で分けていくのではなく、換気が十分されているなら、①客同士の会話禁止、②隣と正面の席は必ず空けるという条件で営業を認めてはどうかという意見でした。

また、会話を伴う会食は、業態としては居酒屋であろうとレストランであろうと、正面2メートル、隣は1メートル以上の距離を保てる個室のみとすればいいのではないでしょうか。その結果、マスターやママなどオーナーだけで細々営業している店などが救われるのであれば儲けものです。

お店の人と客との対話も、注文など最低限にすべきです。注文は紙に書いてもらうような工夫をするべきです。接客業はといえば、会話はしないという枠内でなら別に無理に排除する必要はないと思います。

私は、少し味気ないですが、カウンター越しに客と料理人が大声で話をする必要などもともとないというか、不衛生だと思うのです。客がマスクするわけにもいきませんから、カウンターをアクリル板で仕切るようにして、料理を出す部分だけ開けておけば特段不便はないと思います。

飲食店に関しては、東京都では営業は午前5時～午後8時、酒類提供は午後7時までということになりましたが、私はこのように時間を区切るよりは、前述のような営業の態様を重視すべきだと思いました。

とりあえず、休んで感染防止策が準備できたら再開するのでもいいと思っていたのですが、無駄な休業が多くなったのではないでしょうか。

東京都などの自粛要請は、選挙目当てに「補償金」をばらまく口実づくりになっているように思います。接客業などに休業補償的なお金が多く行くことになり、税金の使い方としても感心しません。開店してもいいのですが、客と離れてマスク着用で話すようにすれば補償も要りません。

これは、タクシーなどでもそうで、運転手席と客席を仕切るほうが防犯上も衛生上もいいのではないでしょうか。イギリスなどでは昔からそうですから、この際にそれを決断すればいいのです。

観光施設なども2メートル間隔の原則が守られるなら、徐々に解禁していけばいいと思います。広さが十分ではない場合は入場制限をかけて、施設内には少数の人しか入れないようにすればいいだけです。逆に普段よりゆっくり観光、鑑賞できるようになるので、何なら入場料、拝観料などは高めに取ってもいいくらいです。

また、普段はなかなか足を運ばない地元民に限定して、インターネットのみの予約にし、身分証明書を提示して入場するというやり方もいいと思います。

今後に向けても、文化財の見学は人数制限、マイナンバー登録予約制、クレジットカードで事前払い込みのするのがもっと多くなっていいのではないでしょうか。すでに、ヨーロッパでは新型コロナと関係なく、アルハンブラ宮殿やダ・ヴィンチの「最後の晩餐」などそうなっていますし、ルーブル美術館も同様の予定でした。

中国でも紫禁城はすでにそうですし、万里の長城も同じになると聞いていました。衛生上だけでなく、文化財保護、そしてテロ防止のためにもそのほうがいいのです。

交通ではこの際、マイカーの復権が奨励されるべきです。自粛期間中は、都心の駐車場も空いているのですから、企業などがマイカー通勤を臨時で認めたら、通勤電車の混雑は少しでも緩和できたはずです。

そのほか、買い物でも病気の診察でも、ドライブスルー方式の積極的な導入が望まれます。場合によっては、路上駐車の臨時解禁もどんどんやるべきです。

これからもリモートワークやネット講義がある程度は定着し、通勤者が減るのはいいことです。それで満員電車も少しましになるでしょうが、さらに、マイカー通勤についても道路や駐車場の状況も見つつこれまでより寛容になってよいと思います。

すでにヨーロッパでは小型車の販売が伸びる兆候が出ていますが、日本でも燃費の悪い古い車の使用制限を併用しつつ、新車需要を増やしていくべきです。中古車が嫌われるのも追い風になるかもしれません。

来年と再来年の新卒市場をコロナ氷河にするな

今年度の就職内定者の採用取り消しが心配されましたが、数としてはたいしたことはなく、それよりはるかに大きな問題は来年の新卒の就職です。「就職氷河期世代」になるのかどうかはわかりませんが、少なくとも「氷河年」にはなりそうな状況です。さらに、再来年新卒も心配です。

いきなり奈落の底に落とされたこの学年の学生を救うことは政治の責任です。公務員の採用を2年分くらい大幅に拡大すべきではないでしょうか。

自衛隊を大増員するのもいいかもしれません。ちょうど防衛省が「5年連続で定員割れ」と嘆いたところだったのですから。

あわせて、公務員試験において、「ＩＴリテラシーと語学力を従来より重視する」といった声明を出したら、学生や大学が目の色を変えて頑張ることでしょう。特別採用枠を設けてもいいかもしれません。

そもそも、公務員はそうした能力が比較的低い人が好む職種だというのは困ったことですが……それはともかく、この際、発想の転換をして、彼らを日本社会全体の国際化とＩＴ化の尖兵にすべきです。また、そういう人材の集め方をしておけば、景気が回復したときに、民間に転職してもらうこともできるはずです。

原則として、公務員というのは景気が悪いときには大量に、景気がいいときには少なめに採用するべき職種です。何十年も景気刺激のための「財政出動」を言い続けるのは頭が悪いだけですが、数年単位の中期的なタームで雇用情勢の逆張りで積極的に採用を行っていくのは何も問題ありません。

新型コロナウイルスの影響で、企業の資金繰りがとても大変な状況になっているのは想像がつきますが、少なくとも公務員や大企業の社員は大幅な賃金カットはされていません。せいぜい残業代が減ったくらいでしょう。

過去の不況の経験に照らせば、このような状況下でも日本のそれなりの規模の企業は、ボーナスや来年のベア、賃金などを少し下げるくらいで、正規雇用者を退職させたりはなかなかしません。しかし、新規採用は手控えていくはずです。

これだけ経済が停滞しても、正社員の給料が減らないのは日本らしいところですが、現実としては生活費のほうは劇的に減っています。外出自粛が厳しくなれば、もっと減ることでしょう。

お金があっても、日々の食費以外、使いようがありません。子供は習い事も塾も行かなくなり、コロナ感染が怖くて医者にも行かなくなり、外食もすることがなくなり、本すら買わなくなっています。

外出しないから服も要りませんし、化粧をする必要もありません。みんな家で料理をしているのかといえば、肉も魚も売れていないようです。マスクは欲しくても買えません。

収入が大きく減っていない人の可処分所得は逆に大幅に増えているはずです。そこを狙ったビジネスが、Ａｍａｚｏｎのようなネットビジネスを除くと少なすぎるのではないでしょうか。

さて、そんな中で「消費税減税」なんて何の役にも立ちませんが、現金支給をしても、収入が何十％か減らない限り、貯蓄に回るだけです。それよりも政府は企業の経営支援、雇用維持支援にお金を使うべきです。

ただし、コロナの流行が終わったときに、現金をタイミングよくまくのには反対ではありません。コロナ自粛でたまっていたストレス、鬱憤《うっぷん》がはき出され、財布のヒモが多少緩むことは想像できます。しかし、それは、秋でも早すぎるように思います。

「一世帯30万円」の案は悪くはなかったが……

4月3日、政府が新型コロナウイルスの感染拡大により収入が減った世帯を対象として、一世帯当たり30万円の現金給付を一度決めたことは覚えておいでてでしょう。

安倍首相と自民党の岸田政務調査会長が会談し、希望者は自己申告して受け取る方向で話が進んでいました。

これだけを聞くと、正規雇用のサラリーマンでも残業が大幅に減ったり、非正規雇用や中小企業者、フリーランスの人たちが幅広くもらえそうな話でした。

しかし、年収換算で住民税非課税水準まで落ち込んだ世帯という条件が付けられ、さらにもらえるのは1000万世帯程度だと話が後退して、自民党の有力政治家ですら「諸説入り乱れている」と困っているくらいでした。

案の定、もらえる条件が厳しく、手続きも煩雑だとして不評の声が上がりました。最初からそういう話だとわかっていれば妥当な話でしたが、自分ももらえるかと錯覚した人が多かったのが致命傷でした。そもそも、30万円かゼロかというのも極端すぎました。私は残念賞と表現したのですが、ほんの少しだけ条件に満たない人には20万円とか、それなりに収入源なら10万円とか出せばよかったのです。

ところが、そういう配慮をしなかったので、不満が高まり、4月16日になって減収世帯への30万円給付を取り下げ、新たに一人一律10万円給付を追加したのもご存知の通りです。

やはり、減収している人に限らないと生活支援策とはいえません。公務員や年金受給者、生活保護者はもちろん、それなりの企業のサラリーマンの収入はそれほど減っていませんし、それどころか外出自粛によって使い途がなくて支出は大幅減になっており、むしろ生活は楽になっていることも多いと思うからです。

サラリーマンは、残業は減っているでしょうが、そういう状態が少し続いた程度では家や自動車のローンの返済ができないほど減収にはならないはずですから、支援はそれを超えた減収になった人に絞るべきでした。

ただし、日本ではマイナンバーカードの所持が義務付けされておらず、すべての収入が紐付けもされていない現状で、政府のほうから線をきちんと引くのは至難の業です。すべての申告が正しいか審査するというのも時間が非常にかかり、緊急時の支援という趣旨には応えられなくなる恐れも出てきます。

そこで、まずは自己申告をさせて、とりあえず現金の給付を優先してもよかったと思います。日本維新の会の足立康史議員が出していた案などもよかったと思いました。

橋下徹
@hashimoto_lo・2020年4月2日
返信先: @hashimoto_loさん
ただし、今後たびたび発生するであろう感染症対策として持続可能なものとするには、原則無担保・無利子貸付けとして、収入に応じた返済額、低収入の場合には返済免除とすることを柱とすべき。生活保障のための融通。これから同様のことは何度も起こるはず。毎回給付金ではもたないだろう。

足立康史
@adachiyasushi
政府は生活困窮者の手挙げ方式による現金給付を検討中ですが、困ってることを迅速に審査できるとは思えません。そこで考えたのがマイナンバーを活用した事後審査による給付への切り替え制度です。社協の代りに消費者金融を活用し毎月10万円の政府保証融資を提供、3年の据置期間中に審査するのです。

足立議員が指摘するように、マイナンバーカードとの紐付けは大事になります。そもそも配給制度が機能しないのも、公正な現金給付が速やかにできないのも、すべてはマイナンバーカード所持の義務化と、収入や資産との間の紐付けができていないからです。せめて、今回の給付の条件として「マイナンバーカードの速やかな取得」を義務付けることくらいはするべきではないでしょうか。

個人的には、所得制限はほとんど必要ないと考えます。30万円というそこそこの金額では、高額所得者への逆差別、不公平の弊害が大きくなるからです。また、住民税非課税所帯などということを持ち出すと、高齢者に著しく偏った給付になってしまい、ますます不公平感が強まったことでしょう。

世帯別に給付していくと、子だくさんの世帯ではデメリットとなるので、これについては別の政策で調整するべきでした。

「10万円給付」所得制限なしは正解

安倍首相が4月17日に行った記者会見でいったのは、大きく分けて以下の三つの内容でした。

①「緊急事態宣言」の対象地域を全国に拡大したことについて、人との接触機会を7割から8割減らすとした目標を達成し、大型連休での都市部から地方への移動を自粛するよう呼びかける

②所得が減少した世帯に30万円としていた案を見直し、国民に一律10万円とすることについて、「ここに至ったプロセスで、混乱を招いてしまったことについては私自身の責任だ。国民の皆さまに心からおわびを申し上げたい」と陳謝するとともに、国民に一律10万円を

給付する申請手続きは、「スピードを重視するとともに、申請する人が殺到して感染リスクが高まることを避ける観点から、手続きについては市町村の窓口ではなく、郵送やオンラインによることにしたいと考えている」

③医療従事者の処遇を改善するため、感染者の治療などに関する診療報酬を倍増させる

①については、接触機会を最低7割、極力8割削減する目標が都市部の平日にまだ達成されていないとし、このままでは新規感染者数を大きく減少に転じさせることは困難としました。

また、3月下旬の3連休の「緩み」が感染を拡大させた可能性があることから、大型連休中の行動にも注意がありました。地方には重症化リスクが高い高齢者がいることもあり、感染者が多い都市部から人の流入を防ぐため各地域が措置を取れるように、「緊急事態宣言」の対象地域を全国に拡大することになったのです。

②の10万円一律給付については、公明党の山口代表が4月15日に安倍首相と官邸で会談し「国民に励ましと連帯のメッセージを送るべきだ」と、所得制限なしの一人当たり10万円の支給を首相に要求したことから、結局のところ、その案が了承されました。

私は困った人に援助を集中すべきだと思っていましたが、国民が「別に減収してないが、

金をくれると思ったらくれないのか」という「金よこせ一揆」の気分になってしまった以上は、仕方がなかったでしょう。それに、暗い世の中を明るくすることは意味がないわけではなく、また、ずるずるといろんな要求が出てくるよりはましでした。

ただし、やる場合はいかなる所得制限も設けるべきではないと思っていましたし、公明党の要求でこの点が完遂されたのはいいことでした。

私は、基本的に「上策は困っている人だけに対策を集中すること」「中策は一律給付」「下策は消費税の引き下げとかゼロにすること」といってきました。

なぜ所得制限を設けるべきでないかといえば、これは経済対策や生活支援対策だけではなく、山口氏がいうように「国民に励ましと連帯のメッセージをしっかり送るべきだ」という観点からはじめて理解できる方策だからであり、所得がある程度ある人が冷ややかに受け止めるものであってはならないからです。

私は、財務省がさまざまな政策を打つときに所得制限を設けることは愚劣だと思っています。なぜなら、富裕層――つまり最も税金を払っている人たちを除外する所得制限があると、高い税金を払っている自分たちがお金がもらえないという不公平感だけが募るからです。所得制限なしに富裕層も逆差別することなく給付することで、自分たちが払った税金が困ったときの助けになると実感してもらえるのは、財務省にとっても本当は悪い話ではありません。それがないと納税意欲を減退させてしまって、結局、財務省も損をすることになると思うからです。

なぜ消費税減税はすべきでないか？

また、こうした事態になると、消費税の減免やゼロを求める声が大きくなりますが、そうした提案に富裕層は喜んで乗っかります。

なぜなら、消費の額はほぼ所得に比例するので、富裕層にとっては消費税減税ほどありがたいことはないのです。

消費税減税は、富裕層などが大きな利益を得るバカげた提案です。

しかも、消費税減税は効果が出るのが遅いですし、消費税減税をアナウンスすると買い控えが起こるので、いいことは何もありません。

さらに、消費税をゼロにしろなどと主張するのは（本人にその意識があるかどうかは別として）、実際には裏社会に操られていると思っています。

もともと、脱税がしにくく、しかも、実際の収入を白日に晒す消費税は裏社会が一番嫌がるものなのです。

余談ですが、私は家庭教師のような者まで含めてすべての人件費支払いは10%、すべての相続・贈与には1%の源泉徴収をすればいいと思っています。税収を上げるより、そのことによって、お金の動きを隠すことができなくなるからです。「減収世帯に限り30万円支給」から「一人当たり10万円支給」への方向転換に対して、「安倍・麻生ラインの敗北」だという人もいますが、私はそうではないと思います。むしろ、政治的には上手に挽回しての逆転勝利だと見ています。また、政府は公明党の要求をきれいに丸呑みしたので貸しを作ったことになり、憲法改正なども含めて、今後の政局運営はやりやすくなったのではないでしょうか。

③については、お医者さんが大喜びしましたが、「新型コロナウイルスに感染した重症患者の治療にあたった医療機関が受け取る診療報酬を倍増させる」だけのことだったので、関係のないお医者さんはぬか喜びに終わりました。新型コロナウイルスに感染した重症患者の治療については、集中治療室（ＩＣＵ）の場合は入院料を一日16～28万円程度に引き上げるといいます。

そもそも保険診療の対象にする必要がない診療は健康保険支払い対象から大胆に外していって、診療報酬総額は増やさない方向で、国際水準の思考で公的医療の存続ができるための合理化にぜひ取り組んでほしいものです。

在日外国人にも「10万円給付」の是非

ところで、「国民一人当たり10万円」といいますが、3カ月を超える在留資格を持つ外国人であれば同じ額を支給されるというのはおかしいと思います。諸外国に在留している日本人がその国からの現金支給を受けているケースもあるようなので、日本も払わないというわけにはいかないのでしょうが、それでも日本人と同額を支給するのには一考の必要があったのではないでしょうか。

「国民連帯」のために、この異例の給付金を出すのなら、この大盤振る舞いのツケは、日本人が返していくことになります。こうしたことから、私は在日の外国人との差を少しは付けてよかったのではないかと思っています。

例えば、日本人10万円、特別永住者8万円、その他の永住者7万円、一時的な居住者5

万円くらいでもいいような気がします。前例のない金額なのだから、緊急性はわかりますが、きちんと議論してほしかったと思います。逆に外国に居住している日本人にはまったく払われないというのも逆に腑に落ちませんでした。

また、安倍首相の記者会見で、従来の市町村を通じるやり方だと3カ月かかるので、ネットや郵便での申請に替えて、国が直接やることでスピードアップを図るとしたわけですが、これは正しいと思います。なぜなら、行政が「間違いない名簿」を作ろうとすると、実務的な手間は恐ろしいことになって非常に時間がかかるからです。

マスクの場合は、間違った人がもらおうが、二重にもらおうが、もらい損なう人がいても構わないからスピードを追求して郵送という方法になったわけですが（配布開始直後には不良品が混入していることが発覚し、配達作業も中断。5月27日時点でまだ20％しか配られていないようですが）、現金はそういうわけにいきません。気の遠くなるような名簿作りの手間を考えると、申請してもらうほうが早いでしょう。

しかも、マイナンバーカードを持っている場合は、オンラインでの申請が可能です（5月1日現在、679市区町村が受付開始）。

マイナンバーカードがない人は、順次自治体から届く申請書に口座番号などを記入して返送しなくてはいけません。10万円が振り込まれる時期は、オンライン申請、郵送の申請とも市区町村で異なります。

総務省によると、4月27日現在の国内の交付済みマイナンバーカードは約2076万枚で、普及率は約16・3％とのこと。

なお、住民全員の名簿を作るのがいかに大変であるかについて、2008年のリーマン・ショックのときに西宮市役所の職員だった杉田水脈《みお》代議士が非常にわかりやすい説明をしていますので、それを引用しておきます。

政府が決定した後、必要な法整備を議会でしなければなりません。

例えば赤ちゃんからお年寄り国民一人一人に一律10万円と決めたとしましょう。

子供は口座を持っていないケースが多いので、保護者に振り込むことになると思いますが、保護者と一緒に住んでなかったり、また、複数保護者がいる場合はどの保護者に振り込むのが確認が必要となります。これを住民票などの情報を元に「えいや！」でやってしまうととんでもない数のトラブルが発生し、それに対応する体制が取れません。施設に入っているお年寄りなどについても同じことが言えます。「自分で申請できない人をどうするか？」

の問題です。これは小切手の場合も同じです。

また、「選挙人名簿を使えば？」という意見がありましたが、給付をするのは選挙管理委員会ではなく、給付を担う組織ということになるので、名簿の閲覧ということになります。が、目的外使用は認められていないので閲覧が許可されません。また、選挙人名簿だと18歳以上の人にしか配ることができません。

こう言った普段使っている法律や規則の制限を一つ一つ議会の議決を経て変える作業、そして人員体制を組み、システムを作る作業が必要なので、時間がかかるのです。

「法律や規則をすっ飛ばして早くやれ！」ということになると「超法規的措置」となるのですが、生活支援や経済立て直しの緊急事態の超法規的措置については、日本においてはまだ議論が緒についていない状況です。

政府からの10万円は競馬とゲームで消えるのか

現金10万円給付のニュースは国民から歓迎されています。その意味では、ゴールデンウィークも遠出ができず、自粛疲れでストレスがたまっている人たちの気持ちを明るくする効果は大きかったと思います。

しかし、何に使うのかと聞いてみると、お店が営業自粛になったところやその従業員を別にすると、ろくな答えが返ってきません。

最近聞いてウンザリだったのは、ＪＲＡの売上が対前年比で増加したというニュースでした。

2月29日から無観客開催を行い、4月18日の中央競馬では、中山競馬が前年比１０５・６％、阪神競馬が同１０３・５％、福島競馬が同１１７・１％と、初めて開催全場で売得金が前年比プラスとなったといいます。Ｊ・ＧⅠ（障害）の中山グランドジャンプは前年比１０２・４％となりました。

もうひとつ盛況なのがゲーム業界です。10万円あればネットのゲームで思う存分遊べるとワクワクしているという人（大人も子供も）にかなりの頻度で出会います。

ただし、私はこの方面にあまり詳しくありませんので、ジャーナリストの清原勇記《きよはらゆうき》氏がＦａｃｅｂｏｏｋに書いていた記事をベースにして、以下に述べてみます。

現在のゲーム業界の活況は世界的なものだといいます。ロックダウン（都市封鎖）までしたアメリカ合衆国をはじめ欧州諸国で著しくゲーム機器売上およびネットゲーム課金が増加傾向にあるようです。

gamesindustry.bizの調べによると、ヨーロッパ・中東・アフリカ・アジアの約50カ国の主要ゲーム会社16社のデジタルダウンロードゲームの売上調査が与える影響の分析として、第12週（3月16〜22日）に430万本のゲームが販売されたといいます。前週比で63％という急上昇であり、我が国の任天堂新作『あつまれ　どうぶつの森』が市場で人気を博したことや、デジタルダウンロード版が支配的であることを分析しています。

また、『GAMEWatch』の記事では、Nielsen（Nielsen Games）の調査により、ゲームのプレー時間が世界的に増加していることを発表しています。フランス・ドイツ・英国・アメリカ合衆国における3000人を対象にビデオゲームに関する同調査（3月23〜29日）では、ゲーム時間が増加したことを明らかにしました。

具体的には、アメリカ合衆国が45％増で、次いでフランス38％、英国29％、ドイツ20％となり、オンラインゲーム時間が増加していることまでも如実となりました。

さらに、同Nielsen調べでは、アメリカ合衆国におけるゲーマーの39％が課金増加傾向にあることも公表しています。

その一方で、日経新聞の4月17日記事では、ゲームセンターの売上は70％も減少しているとも報じています。

世界の先進国における潮流として、新型コロナウイルス影響下でロックダウンが行われて世界経済が停滞する中、家に閉じこもってデジタルゲームに興じている人が増えたことから、ゲーム産業の売上が増加しているのは想像通りです。また、特にその中でも、ソフトパッケージではなく、オンラインゲームをはじめダウンロード版が伸びているようです。

特に、ソーシャルゲーム類のスマートフォン・アプリでは、イマジニアの『メダロットS』の運営側が、プレー回数を増やす特殊アイテムを無料配布するなど、不要不急の外出を控えてもらうように積極的に取り組んでいる動きも見られます。屋外でスマホを駆使して「ポケモン」を捕まえるというコンセプトで大人気の『ポケモンGO』も、家の中でも遊べるように改良を行っています。

新型コロナ特需にわく「意外な業界」とは？

新型コロナ特需という意味で他分野に目を向けると、当然のことながら、マスクやアルコール、除菌タオルなどは勝ち組の筆頭です。マスクの手作りも盛んで、手芸センターや、糸メーカー、ゴム紐関連業も忙しいと聞きます。ミシンもにわかに売れ出して、ミシン糸の白系は売り切れだとか。

さらに、これから感染の流行がひどくなると、一般人も防護服を求めるようになるでしょう。防護服が不足した医療現場ではレインコートを代用している例もあり、アウトドアメーカーの参入も出てくるかもしれません。実際、アウトドア用品のモンベル（大阪市）では、4月初旬にはTシャツなどに用いられる速乾性機能素材を使った一般向けマスクの製造を開始、4月下旬には寝袋カバーの素材を使って防護服を製作し、医療機関に無償提供をしています。

ウイルス除去装置では、パナソニックやダイキンの空気清浄機が売れているといいます。新型コロナウイルスに有効かどうかはわかりませんが、ダイキンの空気清浄機は、2009年に流行した新型インフルエンザを100％分解、除去できるとしていることもあり、室内のウイルス除去には期待ができます。

また、「飛沫感染の防止用のビニールカーテン」や、仕切り用のアクリル板も売れています。ラーメン屋のカウンターでも仕切りが不可欠になるかもしれません。

外国人は「ウォシュレットがある日本でなぜトイレットペーパーが必要か？」などとい

っているようですが、ティッシュペーパーやトイレットペーパーなどの紙製品は生活必需品です。かつてのトイレットペーパー不足で苦労した記憶がよみがえるからではないかとの指摘もあります。

市場から家庭用の体温計とボタン電池がなくなり、この先の入荷予定もないくらい売れていて、オムロンなどは笑いが止まらないに違いありません。

新型コロナウイルスの感染拡大は、働く形も変えました。オフィスでなくてもできる仕事がテレワークに切り替えられたことで、テレビ会議用のパソコン周辺機器の需要が高まっています。

会社ごとのセキュリティ機器（暗証番号発行機）は、一気に数カ月待ちになってしまいました。パソコン用マイクやウェブカメラがどこのお店でも完売で、もうしばらく手に入らないようですし、テレワークのために2台目のディスプレイ、パソコンなども売れています。家庭では、1台のパソコンをめぐってお父さん、お母さん、子供たちで争奪戦が起きているということも。

意外なところでは、事務用椅子が売れています。自宅でテレワークする場合、家庭用の椅子では長時間の作業はつらく、腰痛を訴える人が続出。そこで、会社で使っているような高機能の事務用椅子の需要が増えているわけです。

中でも、テレワークの意外な勝利者は美容整形外科だとか。手術跡の回復期間が必要なので、「今がチャンス！」と踏み切る人が多くなっているのです。

自粛の「巣ごもり」で売れた商品&サービス

新型コロナウイルス対策として中小企業向けの助成政策は、いろいろと文句がいわれているものの、かゆいところに手の届く多彩なものとなっています。しかし、手続きは複雑でややこしいので、とても普通の経営者では太刀打ちできません。そこで、その道のプロである融資申請代行が「特需」の恩恵を受けています。

また、外出自粛の中、家族そろって家の中で楽しめることといえば、映画やアニメの鑑賞が挙げられます。そのため、オンデマンドの動画配信は好調となっています。Ｎｅｔｆｌｉｘは一時期、連日のように株価が最高値を更新していました。ディズニーデラックスなどの映画見放題サービスも絶好調で、東京五輪のために買い換えた大型テレビも役に立っています。

それから、地味ですが、プラモデルが意外と売れているとか。ＳＮＳでも作品を披露する人が多くなってきました。また、アメリカではペットを飼う人が増えて、保護犬の収容センターも空になるなど関係者を喜ばせています。

本も読む時間はあるはずですが、そもそも本屋が休みではどうしようもありません。私が4月12日に出した新刊『３６５日でわかる世界史 世界２００カ国の歴史を「読む事典」』（清談社Ｐｕｂｌｉｃ）はＡｍａｚｏｎでは発売日前に品切れになって、まだ補充が取り次ぎから行かないようです。読みたい方がいるのに、非常にもったいない状況です。そのＡｍａｚｏｎなどでは小説などが結構売れていると聞きます。また、学校も塾も休みなので、学習参考書は好調です。

一方、需要が激減したのは衣料関係。在宅勤務なら着古しで十分なので、まったく売れなくなっています。日本ではネット回線の容量に問題があることからテレビ会議は音声だけでやっているところが多いので、ますますまともな服を着る必要がなくなっています。

面白いことに、テレビ会議をする人には緑色の大きい布が売れているといいます。止むを得ずカメラを起動する会議のときにバックに張っておくと見栄えがするとか。

食品では、自宅で調理する人が増えたので、調理家電は軒並み好調です。家飲みの需要が増えているので、酒類は売れていますし、氷の需要も増えています。

これまでテイクアウトなどをやっていなかった飲食店が生き残りのために大挙して参入したので、プラスティック製の弁当箱がバカ売れだとか。また、昼食を外食しなくなったので、ランチ用のパンがよく売れています。お米や乾麺などの日持ちするもの、缶詰類も売上が好調です。

そうした食品を扱うスーパーは不可欠なので、曜日にかかわらず売上を伸ばしました。しかも、〝混雑防止〟を名目に特売やポイント2倍デーなどをちゃっかりしなくなって済んでいるので、大いに利益率が上がっています。スーパーの食品棚は黙っていても空っぽになるので、これまで月1回は行っていた各部門での20～30％オフのセールもすべて中止となり、中間業者も含めて増益となっています。

しかし、こうした売れている商品を列挙していっても、大したことはありません。サービス業はほとんど全滅です。

やはり10万円は貯蓄か、ゲームか、ギャンブルか――パチンコ屋が再開したら大量消費されることでしょう。

明るい話は少ないですが、良質なレストランがテイクアウトや配達に乗り出してくれたので、自宅でゆっくりと家族で豪華な食事などを楽しめているのはいいことではないでしょうか。

観光については、政府は早く「三密は避ける工夫をしつつ今年の夏は帰省して親に会ったり観光地でゆったりリフレッシュを」と呼びかけるべきです。無駄に旅行券を配るより有効です。自動車にしても、夏休みまでに新車への買い換えを呼びかけるべきです。

フランスでは政府が、「みなさん、バカンスへの出発への準備を始めてください」と呼びかけるなど、国内旅行は解禁の流れなのに日本は遅れています。とくに、自粛解除の中で都道府県間の移動制限が入っていますが、だいたい、四国や中国や東北など人口数百万だし、九州でも1千万人ほどで東京都の人口より少ないわけですし、感染者がほとんどいない地域同士の移動は解禁していいと思います。

第七章

「韓国を見習え」は見当外れ これからの日本が進むべき道とは

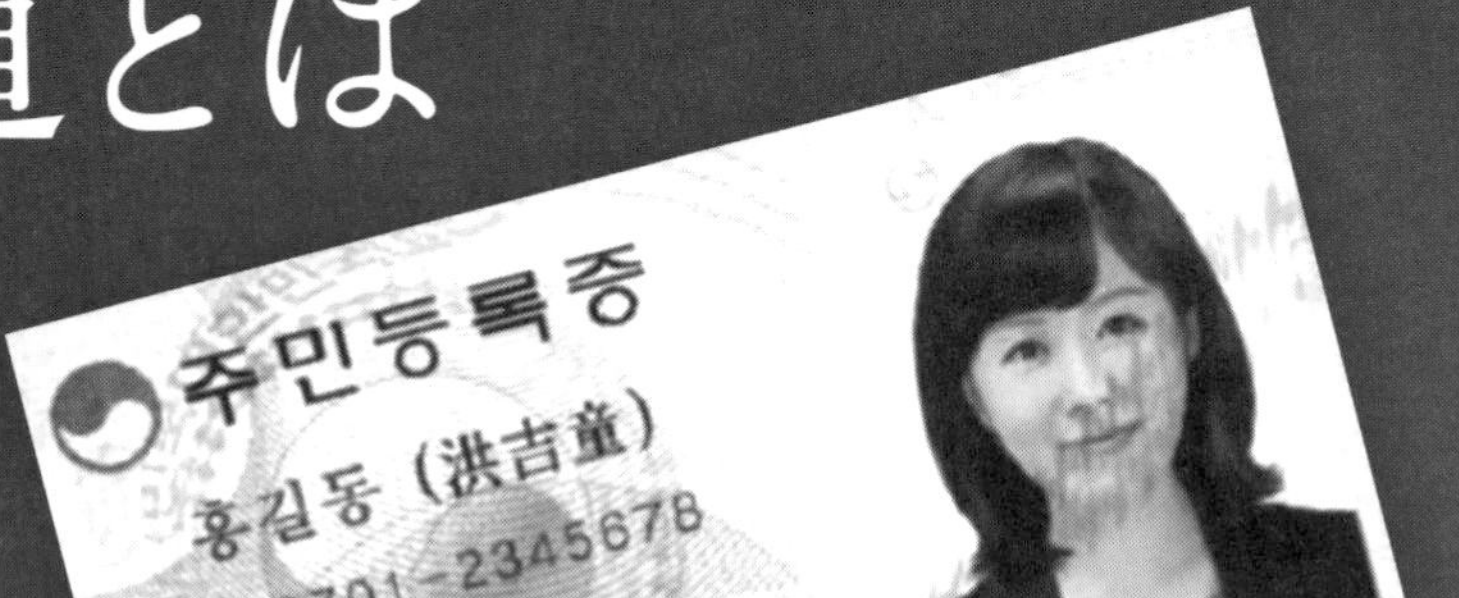

韓国のマイナンバーカード
http://agora-web.jp/archives/2045914.html

媚韓派が韓国と同じ制度を日本には許さない不条理

日本と安倍内閣のコロナ対策は自粛など緩やかな措置だけでいちおう成功し、世界で最小クラスの死者しか出さずにとりあえずですが乗り切れそうです。しかし、第二波が襲ってきたときには手に負えなくなることを私は心の底から憂慮しています。

いろいろな理由はあるにしても、緊急事態のときに政府が国民をきめ細かく把握し、強制力をもって効率よく事態を動かす法制も、財政も、インフラも、この国にはないことに、私は呆然とせざるを得ません。

いったい誰がそうしたことを阻んできたかといえば、「自称リベラル」のマスコミであり、野党勢力です。日本の国家がそうした力を持つことを彼らが嫌ってきたのは、行きすぎた私権の制限で暴走しないためでもありますが、通名使用など複数の立場の使い分け、外国人であることを知られないといった、主として半島系の人々の利益に沿うのも目的だったことは否定できません。

しかも、今回のコロナ対策でも腹立たしく思うのは、彼ら自称リベラル派が「日本政府が韓国（あるいは中国や台湾）政府に比べて十分な対策を講じていない」と日本政府を批判していることです。

例えば、マスク問題が典型的ですが、マイナンバー制度がきちんと機能していれば、一人ひとりの状況を把握した上での郵送が可能でした。

マイナンバーカードの所持が義務化されていれば、一人に何枚という割り当てをした上で、各商店の窓口でその人が全国のどこかで重複して購入していないかチェックすることだって簡単にできます。郵便で人数に関わりなく一世帯に2枚ずつ送るなどという、面倒で雑ぱくなことなどする必要がなくなります。

日本で全国民に公平な配給をしようとしたら、各市町村に膨大な手間暇をかけさせることになり、マスク程度にその労力を使うのは割に合わないですし、時間も膨大にかかります。しかも、パンデミックの最中に地方公務員に役所に集まってもらって、配布などの作業をさせるのは公務員にも住民にも感染リスクを拡げてしまいます。

現金の給付にしてもそうです。韓国のようにマイナンバーと口座番号がリンクしていたら、不正やリスト漏れもなく、国民の各口座への入金も瞬時にできました。

また、感染者がどういう行動をして、誰と接触したかということも、携帯電話とマイナンバー、クレジット・カードが紐付けられていれば容易に把握できます。

最近、「韓国に比べて日本政府は無能だ」と批判する自称リベラルの論客と、私はこんなやりとりをしました。

私：韓国のようにマイナンバーカードの取得と所持が義務付けられていたのならば、もっと賢明な措置が取れただろうと思います。韓国を見習わなければなりません。韓国だけじゃなく、中国も台湾もシンガポールやヨーロッパ諸国もみんなそうですから。

論客：以前から個人管理がされてきた国はそれなりに個人情報の管理が徹底されているから効率的なのはその通りですが、安倍政権の下でそれをすると、個人情報が利用されたり漏れたりするから、そちらの法的拘束力を整備する方が先決事項です。

私：それなら、韓国に比べてマスクの配布が遅いとかいわないでください。マイナンバー制度の問題はすでに昭和40年代から繰り返し議論されています。どこの国でもいつの時代も反政府の立場から同じことをいう人はいますが、そういう人がいるからやらないわけでなく、社会にとって必要なことだからやっています。

それに、歴代の韓国政府が日本政府より「誰しもが認めるほど」たるみきってないとでもおっしゃるのでしょうか。つまるところ、日本の社会は管理されると困る裏社会や外国の利益に奉仕する人たちに踊らされているというだけのことです。

「韓国の新型コロナ対策は優れたものである」という嘘

韓国の新型コロナウイルス感染はかなり落ち着いた状況になり、偽リベラルは韓国を絶賛しています。「韓国は嫌い」という保守派からも、韓国に見習うべきところが多いのではないかという人も出ています。そして、その原因をもっぱらPCR検査の多さに求めるのですが、これが眉唾なのです。

それに対して、私は次のように反論しています。

①韓国が抑え込みに成功したといっても、多数の感染者を出したあとである。人口あたりの死者は5月中旬まで日本のほうが低かった。最終的にもそれほど大きな差にはならないだろう

②韓国で流行したのは、欧州型の強力なウイルスが猛威を振るう前の〝大人しい〟ウイルスだった

③各国が韓国との間の出入国を規制してくれたので、欧米人の入国も韓国人の渡航も減った。そんな「怪我の功名」で欧州発のウイルスが入り込みにくかっただけで、褒めるような話ではない

④韓国での感染者に対する死亡率が低いのは、健康体の人の検査までしたため母数が多いだけ

⑤マイナンバー制度を始め各種の制度で、プライバシーへの配慮もないまま、国民の個人管理体制が日本より強力なので、火事場のバカ力が出せた

韓国のようにしたいなら、PCR検査でなく、マイナンバーカードの所持を義務付け、さまざまなデータと紐付け、それを国家が自由に利用できるようにすればいいだけです。

こうしたことは、別に検討しなくてもわかり切ったことです。韓国に何か特別のことがあるように気を持たせるデマゴーグは邪悪だとすら思います。

私は1980年にフランスに留学しましたが、まず驚いたのは、フランス人もマイナンバーカードを常時、携帯しないと生活できないことでした。外国人は滞在許可証です。買

い物のときでも、どこかのオフィスを訪問しても、常に「パピエ・シルヴプレ」（証明書を見せてください）といわれました。そのころ、日本では国民総背番号制度が議論されていましたが、「人権侵害だ」といわれ導入への道のりは遠く、預金の名寄せのためのグリーンカードも大平正芳首相が一般消費税とともに命がけで導入しようとしましたが、いつの間にか闇の中に葬り去られました。

どうして、自由の国・フランスで普通に実行されていることが、日本で人権侵害といわれるのか不思議でした。さらに、日本の左派・リベラル勢力の憬れの聖地であるスウェーデンではより厳格な運用がされていることも知りました。

韓国では1968年の北朝鮮による青瓦台襲撃未遂事件ののち、現在のマイナンバーカード制が構築されました。あとで説明するように、あらゆるところに紐付けられていることにおいて、ヨーロッパ諸国とは比べられないくらい厳格です。

また、新型コロナ対策の成功国である台湾も、ひどい惨禍からいち早く立ち直った中国、それにシンガポールも同様です。

日本において、せめてヨーロッパ並の運用をすべきだというのは、留学から帰国以来、私が40年近く訴え続けてきた主張で、それなりに世間で取り上げてきていただきました。

例えば、『日本の論点2011（文春ムック）』にも執筆しており、成《なる》毛《け》眞《まこと》氏から「論点45は国民共通番号制度に対する八幡和郎と黒田充の賛否両論。明らかに八幡に分がある。八幡はオーストリア方式などの具体論で導入を促す立場だ」と書いていただいています。

今回、それができていれば亡くなった方もより少なかったでしょうし、経済的な損失も少なく、対策も迅速にできたことを考えると、自身の非力さが残念でありません。

5月4日の記者会見で、安倍首相は「国立感染症研究所によれば、中国経由の第一波の流行は抑え込むことに成功したと推測される。欧米経由の第二波も、感染者の増加はピークアウトし終息への道を進んでいる。みんなで前を向いて頑張れば、きっと困難も乗り越えられる」としました。

まだ詳細が確定したわけではありませんが、日本は武漢発の第一波は韓国と違ってわりに余裕を持って乗り切ったものの、欧州発の第二波では、最悪の事態ではありませんが、完全には防ぎ切れずに3月下旬来の状況のようなことになっているわけです。

欧米で流行したものは、1月来、中国や韓国で猛威を振るったものが強力に変異したものであることもほぼ確実と見られます。韓国は、この第二波の襲来を日本よりよく防げたのは事実ですが、その背景には、③のように欧州のほうから交流をストップされていたという怪我の功名があったのです。

では、欧米諸国がアジア各国にどのような対応を取ったのか、見ていきましょう。

まず、フランスを例に取ると、フランス首相府及び連帯保健省が、「中国、シンガポール、韓国及びイタリア（ロンバルディア州とヴェネト州）からフランスに戻ってから、14日以内に呼吸器感染の兆候が発生した場合、通常の医師・病院にかからず、15（SAMU：救急医療サービス番号）に電話するよう呼びかけた」のは、2月25日のことです。

日本に対しては、3月16日になってようやく、「EU共通の決定により17日から、EU及びシェンゲン圏（註：西欧側の26の国の領域）への入境を閉鎖し、EU域外の国とEU圏内の国の間の渡航を30日間停止」となりました。

アメリカも、2月末にイラン渡航者の入国制限と韓国・イタリアには渡航中止勧告を行いましたが、それに日本は含まれていませんでした。

日本側の対応は、2月1日に流行の発生した武漢を含む中国湖北省に滞在歴のある外国人の入国を禁じたのを皮切りに、韓国・大邱市、イランのテヘラン州などに滞在歴のある外国人を入国禁止にしてきました。

3月9日には中国、韓国両国からの入国者すべてに2週間の待機要請を開始し、10日にイタリア北部とサンマリノ全域に滞在歴のある外国人に対する入国禁止措置を決めました。

このように、韓国の場合は早期にヨーロッパやアメリカから閉め出され、結果として、これらの国との交流が絶たれたのです。

それに対して、日本は欧米からの入国制限が日本人の「入国禁止」に発展するのを恐れて、対応がやや遅れたということは指摘できるかもしれません。

いずれにせよ、韓国がヨーロッパからの第二波を防げたのは、向こうから閉め出されたおかげで、韓国が主体的に何かをしたからではありません。

その後、韓国政府は3月22日からヨーロッパからの入国者全員に対して全数検査を実施し始めました。しかし、入国者が予想を上回って検査人員が不足したので、症状がある場合は空港で、症状がない場合は帰宅してから3日以内に検査を受けるように変更しました。

さらに4月1日からは、海外からのすべての入国者を14日間隔離することにしました。入国者は症状がある場合は空港で検査を受け、症状がなければ韓国政府や地方自治体が用意した「臨時施設」に移動し、検査を受けさせられたのです。

検査の結果が出るまで1〜2日間は施設に隔離され、陽性なら病院に入院・治療を受けなくてはいけません。陰性だと帰宅して、14日間自己隔離が義務付けられました。海外からの入国者が規則を守らなかったら1年以下の懲役、または1000万ウォン（約100万円）以下の罰金が科せられます。

なお、検査費用・治療費は韓国政府が負担しますが、隔離施設の利用は自己負担です。

日本の場合には、検査の結果が出るまで空港にとどまるようにという要望しかできませんでしたし、また、それを破ろうが、2週間の自宅待機を破ろうが、韓国のようにGPSで追跡する制度がないですし、罰則も設けることができなかったのです。

韓国は超厳格マイナンバー制で成功

編集者・翻訳家の伊東順子《いとうじゅんこ》さんという人が『現代ビジネス』に「韓国が日本に先んじて『コロナ危機をひとまず脱せた』理由」（4月6日）という記事を寄せていますが、そこにはこのような記述もあります。

「（マスクは週に2枚買えるが）販売数は個人の住民番号で管理されているため、不正はむずかしい」
「住民番号こそが、韓国における今回のコロナ対策のベース」
「住民番号は、健康保険証などはもちろん、クレジットカードやパスポート、銀行口座など多くの情報とつながっている」
「お医者さんが患者さんのカルテに住民番号を入力したとたんに、海外渡航歴などまでもがバーンと出てくる」

朝日新聞などが「韓国を見習え」というなら、こうした点もぜひ書いてほしいものです。韓国の住民番号は、感染経路の確認にも利用されるようです。クレジットカードの履歴や、ときには監視カメラまでが住民番号とリンクして、そこで得られた情報は広く国民に公開されます。個人名は伏せられているものの、近親者や友人、職場の人には誰のことかわかりますし行動がバレてしまいます。

そういう状態でも、国民は「プライバシーはどうなるのか？」などといわずに、当たり前のこととして支持しています。ぜひ、朝日新聞さんにはこの点も見習うように宣伝してもらいたいものです。

シンガポールでは感染者が多くなりましたが、その理由は、世界で最も進んだ監視社会であるため、感染者が誰と接触したかがすぐわかるからだといいます。アメリカやヨーロッパ諸国を含めて、非常時に素早い対応を取れるのは、国民のプライバシーの保護などを犠牲にできる国であるということの裏返しでもあります。

さて、ついでのようになりますが、PCR検査について、私がその拡大に消極的だという誤解をしている人がいるので、この点について少し補足したいと思います。

韓国もそうですが、イタリアなどでも安直に多く検査したことで医療崩壊を招き、医療機関を通じて感染の拡大につながったことは広く認められています。日本では、患者や開業医からのPCR検査の求めに安直に応じなかったことが大正解であったことについては、私の意見は変わっていません。

ただ、そのことは、現在においても検査数が少なすぎることを容認するものではありません。安全に秩序立ててなら多くの検査をするほうがいいに決まっています。

しかし、韓国でも誰にでもしているわけではなく、4月末で人口の1％くらいですし、誰にするかも国民監視制度に基づいて選んでいます。5月にもソウルの風俗店がクラスターになりましたが、このときも、同じ店にいた客を位置情報やクレジットカード利用からその３０００人を割り出して効率的に検査しているのです。

また、崔碩栄《チェソギョン》氏が、韓国の大掛かりなＰＣＲ検査などを支えているのが「徴兵」で3年間服務した「公衆保健医」などであり、彼らが国からの拒否できない命令によって動員されたことを指摘しています（『現代ビジネス』3月30日「韓国でコロナ検査『世界最大級』のウラで医師が『動員』されていた！」）。

韓国のＰＣＲ検査体制をうらやむなら、日本でも徴兵制とはいわずとも、若者の強制公益動員体制を作るとか、若い医師を3年間、公益医療部隊のようなものに入れて災害、防衛、防疫など危険な任務や僻地医療にあたらせるべきだとでも提案したらどうでしょう。そうしないと、韓国と同等のＰＣＲ検査は難しいしコストも韓国よりはるかに高額になります。その覚悟が必要なのではないでしょうか。

厳格なマイナンバーカード制度、徴兵制による若い医師の徴用、最初の段階での大失敗によって欧州諸国などから出入国を止められたことによる怪我の功名……韓国がコロナ危機を脱した本当の理由を日本のマスコミは決して報道しようとはせず、手放しで韓国を褒めるのはまことに愚かです。

韓国のマイナンバーカード制度が誕生した流れを見てみましょう。

1968年、北朝鮮の武装ゲリラによる青瓦台（韓国大統領官邸）襲撃未遂事件がありました。これをきっかけに、身分確認と統制が目的で創設されたのがこの制度です。

導入当初は、個人情報の収集やプライバシー侵害を恐れて民主派などで反対する声も多かったのですが、便利な身分証明として国民生活に浸透し、いま現在もそのまま利用されています。

韓国では出生届と同時に13桁の番号が割り振られます。番号には生年月日、性別、出生地などの個人情報が含まれています。国民は17歳になると「マイナンバーカード（住民登録証）」の発行を受け、このときすべての指の指紋を登録し、親指の指紋は住民登録証に表示されています。

登録番号は、医療保険、国民年金、日本の住民票に当たる住民登録謄本、戸籍謄本および抄本、軍隊への徴兵通知・連絡、運転免許証、自動車所有者登録などの行政サービスを利用する際に必要となります。

また、このマイナンバーカードは身分証明書でもあって、飲食店では年齢確認のために提示を求められますし、登録の必要なネットサイトを利用するときにもマイナンバーを入力するのが一般的となっています。

「韓流ブーム」の影響から韓国のサイトを利用したいという日本ファンは、韓国のマイナンバーがないので利用できないといいます。まさに、「これ1枚で何でもできる」、「これがなければ何もできなくなる」存在となっています。そして、これがさらにスマートフォンと連動して、ますます便利になっているのです。

大学や高校では、学生の出欠や成績、履修科目、卒業証書などの発行にも使われています。受験した学校のホームページにアクセスし、受験番号と住民登録番号を入力し合否の確認をする場合も多いといいます。

高校や大学ではわざわざ学校に行かなくても、在籍確認や成績証明・卒業証明の取り寄せなど、ネット上でさまざまな手続きが可能です。手数料はクレジットカードまたは携帯電話に加算しての決済もできます。

役所に行かなくても向こうから何でも教えてくれる便利さ

韓国では、市役所での証明書発行などは区役所の出張所にあたる洞事務所で処理されますが、地下鉄の駅やターミナル、ショッピングモールなどにある自動販売機のような機械で、兵役証明書、住民登録証の発行、住民登録、自動車の登録原本や不動産の登記簿謄本の書類発行までもできてしまいます。手数料はクレジット決済です。

面倒な相続手続きも、被相続人の死亡届を出すだけで行政側が遺産を把握し、7～20日以内に相続人が相続できる遺産、および相続税の額が通知されます。

国税庁が開設した「ホームタックス」のページでは、給与所得、利子所得、医療費支出、家族の所得、源泉徴収された金額などを、行政側が住民登録番号で把握しているので、計算が簡単に行えます。

また、韓国国税庁は今年、Web上に「ホームタックス」を開設し、どうすればより多く税金が還付されるかを個々の収入と支出に合わせてシミュレーションできるサービスも提供しています。なんと、本人が手続きしなくても、税を多く納め過ぎたら自動的に還付される仕組みになっていますし、資格を満たしているのに福祉制度に申し込んでいない人には、行政から自動的に案内が来ます。

運転免許証発行の際の視力検査も、2年以内に区の健康診断を受けた人は、記録が警察庁と道路交通公団の情報と紐付いているので、不要となっています。

これが、韓国が国連の「電子政府ランキング」で、3回連続1位を獲得した原動力なのです。

行政サービスだけではなく、銀行での口座開設、携帯電話やインターネット接続の申し込み、有料放送への加入にも住民登録番号が必要となります。学校での子供の出席や成績、学習管理の記録も紐付けられています。

健康保険証、診察券、お薬手帳もすべて紐付けられているから、病院にはマイナンバーカードだけを持っていけばいいわけです。

病院の受付でマイナンバーカードを出したら、患者が健康保険に加入しているのか、初診なのか再診なのかを含めて、これまでの通院記録が把握できます。現在はこうした情報を病院ごとに管理していますが、ゆくゆくは全国の病院の医療記録をまとめて行政データベースで一括管理することになるでしょう。

これだけマイナンバーに依存しているのですから、韓国の住民登録の法律は罰則も厳しくなっています。マイナンバーカードの不所持はもちろん、引っ越し後に転入届を出さず、住民登録証に新住所が記載されていなかったり、実際に居住していない住所で住民登録したり、17歳になってもマイナンバーカードの発行を申請しないと過怠料が課されるようになっています。

もちろん、いいことばかりではなく、問題点もあります。情報流出は頻繁に起こり、焼き芋の入った袋が、保険会社の顧客の氏名、住民登録番号、住所などが書かれた用紙だったなどという事件もありました。そもそも、マイナンバーを見ただけでその人の生年月日、性別、生まれた地域などがわかってしまうことも問題とされています。

マイナンバー制度には「なりすまし」の危険が常に隣り合わせですが、電子政府やネットバンキングでのサービス利用の際には、住民登録番号に加え、政府が認めた認証機関の発行する「公認認証書」という、本人確認のための電子署名が必要となります。こうしたサービスには、この電子署名がインストールされている端末からしかアクセスできない仕組みになっています。

政府が認めた公認認証書発行会社は6社となっており、銀行のサイト上で銀行が提携している会社から公認認証書が取得できるようになっています。

銀行では、ハッキング防止策の一環として、海外のIPアドレスによるネット経由での振込や、その他の手続きを利用できないようです。個人の出入国情報と口座情報が住民登録番号で紐付けられているので、口座の持ち主が海外にあっても、本人認証を経ればネット経由での振込や口座の開設・解約などは可能です。

なお、本人の同意なく個人情報を収集すると、5年以下の懲役または5000万ウォン（約500万円）以下の罰金が科されます。

海外からの帰国者もマスク購入もマイナンバーとスマホで管理

韓国のマイナンバーは、感染拡大を防止するため、感染者の感染経路や自己隔離中の移動経路に関する情報提供を可能にしました。前述のように、感染が確認されたら、感染者のスマートフォンやクレジットカードの使用履歴、監視カメラなどの情報によって感染経路を把握して公開しています。

以下は、金明中氏の「日本が韓国のコロナウイルス対策から学べること」からの要約となります。

3月13日に「感染者情報公開ガイドライン」を修正し、感染者と接触した人が出た場所、日時、移動手段を公開。ただし住所や職場名は非公開としましたが、クラスター化した場合には時間や場所を特定して公開できます。

疫学調査チームは、感染が確認された人と接触した可能性がある人の移動経路も把握して個人に連絡します。発熱などの症状がある場合にはPCR検査を、無症状の場合には自己隔離対象者に指定して、自宅などで2週間自己隔離させました。

韓国ではクレジットカードの使用が一般的で、スマートフォンが普及したこともあってキャッシュレス決済比率は89％と他の国の数値を大きく上回っています。経済産業省の「キャッシュレス・ビジョン2018」によると、中国60％、英国55％、アメリカ45％、フランス39％、日本18％、ドイツ15％です。そのため、個人の位置情報を把握することはそれほど難しくはありません。

欧州からの流行の伝播を抑えられたのも、進んだIT化が威力を発揮しました。4月1日からはすべての入国者に2週間の自己隔離を義務化しましたが、入国者は入国審査場の手前に掲示されたQRコードをスマートフォンで読み込み、「自己隔離者安全保護」アプリをインストールさせられます。症状があると検査場所でPCR検査を受け、無症状の人は自宅に帰宅、あるいは居住地などがない場合は韓国政府が準備した施設を隔離場所として有料で利用させられました。

そして、PCR検査を入国後24時間以内に受けるように命令され、入国してから14日間の自己隔離中は毎日体温などを測り、専用アプリに報告する義務を課せられています。自己隔離対象者が隔離場所から勝手に動くと、スマートフォンにインストールされているアプリの位置情報システム（GPS）から警報音が鳴らされ、1年以下の懲役または1000万ウォン（約100万円）以下の罰金が科せられます。

5月21日には、日本人の男性が4月2日に韓国に入国したあと、2週間の隔離を破って8回にわたり外出して飲食店などを利用したことを、監視カメラの映像やクレジットカードの使用履歴などから確認し、感染症予防法違反の疑いで逮捕されました。もちろん韓国人も同様の規制下にあるわけで、だからこそ、第二波は防げたのです。

韓国のマスクについて詳しく述べると、韓国政府は2月26日の時点で保健用マスクの輸出を制限し、3月6日からは医療用マスクの輸出を原則的に禁止しました。そして、3月9日からは国民一人当たりのマスク購入量を1週間に2枚まで制限する「マスク5部制」を実施。出生年度の末尾によって指定曜日に一定数のマスクが購入できるようにし、薬局は重複購入を防ぐために購入履歴をオンラインシステムに記録しました。療養施設や病院の入院患者、子供は高校生までが代理での購入を認められています。

この運用では、マイナンバーのほか、「医薬品安全使用サービス（DUR：Drug

Utilization Review）システム」を応用した療養期間業務ポータルの「マスク重複購買確認システム」が採用されています。

ＤＵＲシステムは、医薬品の重複処方による副作用を防止するために、医薬品の処方、調剤など医薬品の使用に関する情報をリアルタイムで提供するシステムです。24時間365日体制で運営され、医者は患者の処方情報を健康保険審査評価のＤＵＲシステムに入力し、医薬品の濫用や重複調剤の有無を確認します。所要時間はたったの0・5秒です。

韓国政府は当初、このＤＵＲシステムをマスクの重複購買防止に活用しようとしましたが、過剰な負荷により医薬品の事前点検システムが停止してしまう恐れがあったため、ＤＵＲシステムを応用して、療養期間業務ポータル「マスク重複購買確認システム」を作って利用しました。このため、マスクを販売する全国の薬局、郵便局、ハナロマート（農協のスーパーマーケット）でマスクの重複購買チェックが可能になったのです。

個人や業者が暴利を狙ってマスクを買い占めた場合にも、2年以上の懲役や5000万ウォン以下（約500万円）の罰金を同時に科することができるようにしましたが、そういうこともこのシステムあればこそ可能になったわけです。

徴兵制で危険な医療にも過酷な条件で若い医師を投入

韓国は、2015年5月に中東呼吸器症候群（MERS：マーズ）の感染拡大を許し、186人が感染し、38人が亡くなりました。これに懲りて、感染症への対応体制が整備されたことで、今回はそれが役に立ちました。

発熱、咳、呼吸困難などの症状がある人で、海外や大邱・慶尚北道地域への訪問がない場合や、感染者との接触がない場合には「国民安心病院」を、疫学的関連性がある場合には「選別診療所」を訪ねて診療を受けるように奨励しました。「国民安心病院」とは、院内感染を防ぐために、呼吸器疾患を抱えている患者を病院の訪問から入院まで、他の患者と分離して診療する病院です。

3月31日現在では、全国341カ所の「国民安心病院」や612カ所の「選別診療所」で新型コロナウイルスの検査や診療が行われています。

さらに、「ドライブスルー検査」や「ウォーキングスルー検査」も実施。屋外に設置されている検査施設を訪ねて、車に乗ったまま検査を受けることができます。「ドライブスルー検査」は10分ほどで終わります。

「ウォーキングスルー検査」とは、公衆電話ボックスのような透明の検査ブースに一人ずつ歩いて入り、待機している医師が外側から検体を採取する検査方式です。ウイルスが外部に漏れないように内部の圧力を外部より低くする陰圧装置が設けられ、検査時間は3分で済みます。

3月16日にソウル市の病院で初めて導入され、さらに3月26日から仁川国際空港で開放型の「ウォーキングスルー検査」が実施されているといいます。

もう一つ、韓国の対策で大活躍したのが、社会服務要員、軍人、公衆保健医という兵役義務を担う「若い男性」たちでした。

社会服務要員とは、兵役の代わりに居住地近隣の政府機関や公共施設で仕事をする人たちのことです。彼らは薬局の手伝いに動員されましたし、軍人はマスク工場での包装や運搬作業のために動員されました。

先に公衆保健医（公保医）のことは軽く触れましたが、ここで詳しく説明しましょう。韓国で医科大学を卒業し、医師の国家試験に合格した男性が兵役でその義務を果たす場合、兵役の代わりに、離島や山間地、刑務所などで3年間、医療活動を行う公保医という制度があります。戦時には軍医官として活動することを前提としている公保医たちですが、今回、コロナ感染被害が拡がった大邱や慶尚北道に、彼らが宿泊所も手配されていない状態で派遣され、1000人以上が劣悪な条件下で働いたといいます。つまり、国家の命令で否応なしに可能な動員が、韓国の〝迅速な〟対応を下支えしていたわけです。

韓国の制度についてはよく報道されますが、台湾のコロナ対策の成功にもほぼ同様の厳しいマイナンバー制度の運用がありました。台湾では14歳から「国民身分証」を常に携帯しなければならず、それには氏名、生年月日、本籍地、父母、配偶者の名前、徴兵に関する情報などが記録されています。さまざまな情報と紐付けられていますが、今年の10月からは、一部の情報は表面には書かれなくなりICチップに内蔵され、暗証番号がないと見られなくなるそうです。これを提示しないと生活できないのは韓国と同じですが、健康保険や運転免許証などを兼ねることはしてないようです。

第八章

知事・市長の通信簿

すべてをかけて、
大阪を前に。
若さと情熱
北海道・新時代の創造！
村井よしひろ事務所オフィシャル facebook
村井よしひろ
停滞から前進へ
長《なが》崎《さき》 幸《こう》太《た》郎《ろう》

吉村洋文大阪府知事、鈴木直道北海道知事、村井嘉浩宮城県知事、長崎幸太郎山梨県知事 Facebookより

週刊文春で御厨貴《みくりやたかし》氏の付けた通信簿への疑問

新型コロナ対策で「政府の動きが緩慢だ」、「東京、大阪、北海道の知事こそ首相にしたい」、「ほかの知事は何をしているのか」といった声がマスコミにはあふれています。しかし、国と地方の関係についての無理解も目立ちますし、パフォーマンスばかり評価して地道な仕事を軽視して現場を混乱させ、地方自治体の士気を下げかねない意見も散見されています。特に、どうかと思ったのは、『文春オンライン』の記事で、「北海道鈴木、愛知大村は〇、宮城△、石川、千葉、神奈川×、小池都政は？　政治学者・御厨貴『知事たちの通信簿　東日本編』『大阪吉村、和歌山仁坂、鳥取平井は〇、広島△、兵庫、福岡は×…西日本編』」というものです。

これは、パフォーマンス偏重で、国に反抗的な姿勢を見せれば実質と関係なくよしとする「地方分権ごっこ」礼讃ですし、些細な失敗談ひとつで罰点というのもよくありません。新型インフルエンザ等対策特別措置法では、疫病対策の前面に立つのは都道府県で、国は都道府県知事に方針を示し、知事が具体的な計画を立てます。

また、医療体制は都道府県によって事情が違うので、全国一律の方針は適当ではありません。どうしたらPCR検査を増やせるかとか、専用の外来をどこに設けるかとかは、都道府県の実情に応じて考えるしかないのです。都道府県庁には「保健福祉部」といった名の部局があって、部長が医官だったり、別に部長クラスの医官がいます。各県に最低ひとつの医学部があり、県内の何カ所かに保健所があります。

保健所は、ニーズの変化で縮小されています。批判もありますが、組織はそれなりの日常業務がないと人を抱えられないですし、日ごろ暇な組織が非常時に能率よく動くはずもないですから簡単に論じられません。

開業医主体の医師会はどこでも強力ですが、力のあるリーダーがいるとは限らないのが常です。隣県との協力関係もさまざまであり、財源にも大きな差があります。

小池知事は功罪ともに大きかった

そんな中で、御厨氏が高く評価する小池百合子都知事はどうでしょうか。私は政府が大胆なコロナ対策を立てるにあたって、小池氏というジャンヌ・ダルクがいたことはよかったと思っていますし、その点は高く評価します。

緊急事態は、日本医師会が3月30日に発動を求めたし、私も決断すべきと主張しましたが、抵抗もあったので、小池知事が政府の背中を押したのはよかったです。

さすがテレビキャスター出身だけあって、言語明瞭、要点にしぼっての発表能力は、ややまわりくどい印象があった安倍首相よりも説得力がありました。

ですが、医療現場の統率という場面では、東京都の対応は混乱を極めて、各種の数字も統一性のないものが多く、日本全体の状況をつかむうえで支障になったほどです。特に民間検査機関でのPCR検査では、陽性者だけが計上され、検査総数はわからないというのには困りましたし、そこで混乱して、誤った分析がされる原因になりました。

このあたり、前知事の舛添要一《ますぞえよういち》氏のほうが、現場に乗り込んで専門的な説明も聞いて理解し、適切な専門家の助力も得ながらいい仕事ができたことでしょう。

広汎な休業要請をする一方、財政調整基金というへそくり9000億円を使って、補償金を気前よく出し、コロナと戦うイメージを出すとともに、業者からも喜ばれて選挙対策にしたわけです。しかし、バラマキの度が過ぎて他の道府県は追随できず全国的混乱を招きました。この基金は、首都直下地震などのときの備えとして大事なものなのに使ってしまったともいえ、いざというときにどうするつもりなのでしょうか。

普通なら、国から「そんなに東京は余裕があるんなら東京五輪の追加費用とか仰っても一銭も出しませんからね」といわれるから極端なことはしません。他府県より手厚い人気取り政策を大規模にする自治体が、別の案件で国の財政支援を頼んでも、それを受けるのは論理的ではないからです。

もちろん、国の援助を受けるためには独自政策はすべて止めるべきだということではありませんが、ほかの自治体より財源に余裕がある自治体でないとできない政策をやっているのでは、ほかの自治体の住民に対して不公平になります。

しかし、7月の都知事選挙を乗り越えることだけが頭にあるのか小池氏は、その先のことは無視して突っ走りました。功罪ともに大きいと思います。

吉村知事は弁護士としての現実主義で成果

この結果、ほかの知事さんたちは恐慌を来しました。吉村洋文《よしむらひろふみ》大阪府知事らが、「補償なき休業はない」などといいだしたのです。東京都並みの助成をする余裕は大阪などにはありませんから、国がそれを認めるなら他の自治体には助成してほしいということでした。

本来、休業への補償などあり得ません。ほかの人たちのために犠牲になるのに払うのが補償ですが、今回は休業する人たちのためでもありますから、協力金なら理解できますが補償ではありえないのです。ところが言葉が一人歩きして、過度の休業と天文学的補償金へ傾いていったのですから、その責任のいったんは吉村知事にあるといえます。

そもそも、新型コロナウイルス対策、ことに休業対策は、社会的にも財政的にも負担が少ない割に感染防止効果が高い政策を選ぶというコスパ意識を無視しすぎました。飲食店の休業でも時間で制約するより、席の間隔を離すとか、個室以外での会話原則禁止とかで対処すればよかったのではないかということを私は主張してきました。

また、吉村知事が「どうなれば解除するのか明確な出口戦略が必要だ」「政府が措置の解除基準を示さない」と不満をいい、西村康稔経済再生担当相が「(法律の)仕組みを勘違いしており、強い違和感を感じる。解除は知事の権限」とし、吉村知事が謝罪した事件がありましたが、これは西村大臣が全面的に正しいし、だからこそ、吉村知事も謝罪しました。世論は西村大臣を批判し吉村知事に同情しましたが、それは、「一生懸命やってるのに大臣が批判するなんて大人げない」という感情論です。日本では、国が自治体を批判すると権力の横暴といわれがちですが、そういう考えは、自治体をスポイルするだけで、いいこととは思いません。国と地方がフランクに考えをぶつけ合うことのどこが悪いのでしょう。

しかし、そうした若干の不満にもかかわらず、吉村知事の動きは際立っていたということは評価したいと思います。クライアントの信頼を勝ちとり、ややこしい問題を解決する勘所を心得て、相手からも悪意を持たれないという、弁護士としての職業的技量がフルに発揮されていました。テレビ映りもいいし、短い時間での説明能力もあります。実務に対する把握能力は抜群かどうかは別として合格です。パチンコ店の実名公表は称賛します。地方の首長さんたちは、うっかりすると、個人的に損害賠償を要求される訴訟リスクを抱えているから臆病になる中で、非常時に勇気を持って蛮勇をふるいました。

医療関係者へのクオカード支給などセンスもいいものでした。松井一郎大阪市長が十三《じゅうそう》病院をコロナ専門病院にしたのもヒットで今後の模範となるでしょう。このように、維新コンビの活躍が目立ちましたし、大阪都構想の追い風にもなるでしょうが、維新が保健所を過度に減らしたのも事実です。整理するなら誰が代わりを緊急時にするか手当しておくべきだったでしょう。

北海道：失敗を挽回したからといって高くは評価できない

北海道の鈴木直道《なおみち》知事については、マスコミでも高く評価されているし、御厨氏の評価も同様です。学校を休校にしたり、マスクを配布するなど、国がのちにとった政策の先取りをし、モデルのない段階でのフットワークはよいものでした。しかし、私はあえて天邪鬼な意見を書いておきましょう。

そもそも、北海道での流行は、「さっぽろ雪まつり」で中国人観光客が多かったことから始まっているともいわれ、「三密」が予想されていたのに無警戒でした。

北海道で流行が蔓延していたときに、本州との遮断も勇気を持って行うべきでした。2月28日に独自の緊急事態宣言をしましたが、北海道への出張を命じられた在日中国人が日本の対策の甘さに驚いて、必死に抵抗したという話を私も聞いていたころです。また、いったん収まったのに第二波の襲来を招いたのですから、とても誉められたものではありません。どうも韓国の文在寅大統領やニューヨーク州のクオモ知事もそうですが、対策に失敗したところのトップが、悲愴な戦いの英雄のように振る舞って称賛されるのは、おかしいでしょう。

和歌山：仁坂知事の辣腕の模倣は危険かも

和歌山県の仁坂吉伸《にさかよしのぶ》知事は、大手マスコミも御厨氏も評価しています。済生会有田病院の院内感染のあと、「早期発見するために大事なことは国の基準にこだわらないことだ」として幅広いＰＣＲ検査をして封じ込めに成功したことで、国に反抗して成功したというイメージを持たれているからでしょう。

あのとき、私は「仁坂知事だからあのやり方ができるので、他の知事が真似たら危ない」といいました。なにしろ、素晴らしく優秀な頭脳で細かいし、常識にもとらわれませんですから、状況を完全に把握して仕事をするので、かなり綱渡りでも大丈夫なのです。ＰＣＲ検査を片っ端からといっても範囲は正しく設定しているし、大阪の医療機関の協力を取り付けるなどして医療崩壊しないような手当ができていました。

一方、「（休業要請した場合は補償をするかと問われて）絶対にしない。外出自粛で客が来ていない店には補償せず、休業要請した店だけ補償すれば不公平になる。また災害時に避難してもらっても補償しないのと同じだ」（日本経済新聞）といっていますし、吉村大阪府知事の基準を設定しての出口戦略についても、「（基準だけで判断するのは）ちょっと危ないような気がする。大丈夫かと心配もしている」（紀伊民報）と冷静な意見ですが、こういう大衆受けしない卓見のほうは全国マスコミで話題になりません。

宮城：松下幸之助ならどうしたか考える村井知事

御厨氏に批判された一人に、宮城県の村井嘉浩《むらいよしひろ》知事がいます。「3・11のとき、村井さんの頑張りは特筆するものがありました」としたうえで、「3・11疲れなのではないか」などと具体性のない批評がされています。

しかし、宮城県が被災のど真ん中だった3・11のときには、全国に向かってその窮状と支援を訴えるべき立場でしたが、今回は宮城県知事としてそういう立場ではありませんでした。むしろ、3・11で築き上げた政府との密接な関係を生かして落ち着いた状況判断をし、震災に続く災禍に戸惑う県民に我慢を呼びかけつつ、適切な時期に一条の光を感じる希望をもたせるような発信してきたのには、やはり、自衛隊、松下政経塾、裏千家の茶人という経歴の中でリーダーシップのなんたるかを学んできただけのことはありました。

さらに、9月入学提案を他府県の知事に提案してうねりを引き起こした仕掛け人となったのは称賛できます。というのは、4月入学で冬の厳寒期に入試があるのは、東北など寒冷地の若者にとって過酷であり、東北のリーダーとして素晴らしい働きでした。

まずその場を凌ぎ、新しいことはそのあとという人もいますが、村井知事は、「物事にはきっかけがある。宮城でも水産特区や仙台空港民営化は震災がなければ踏み切れなかった。有事を機に見直せることもある」と前向きな発想を強調しています。

「国に予算を求める立場ではあるが、国の財政を考えると複雑だ」というあたりは、どんな立場にあっても、天下国家のことを考えろという松下幸之助翁がいま生きていたらどうしただろうと反芻をくりかえすという村井知事らしさが出ています。

山梨：長崎知事の周到な長期戦略

福岡県の小川洋《おがわひろし》知事も、「安倍首相が4月7日に緊急事態宣言を正式に打ち出した後、それを受けた小川知事の会見は、対象となった7都府県で最も遅かった」として、「どうも上手く動けていない印象があります」と御厨氏から批判されています。ですが、記者会見が遅かったといっても、1時間程度の話で、発言内容を吟味するのに少し事務的に手間取っただけ。経済対策の内容も、一部の休業業種に集中して金額を目立たせる内容ではなく、その周辺で影響を受ける業種や、そこで働く学生などにも配慮して十分に特色が感じられます。また、医療対策は、これも耳目を集めやすい一般大衆向けではなく、医療機関の体制整備に力を傾注した実質的なものです。

「首都圏の知事は小池知事以外は全員『×』ですね」、「全員が後手を踏んでいるように見えます」と御厨氏はいいます。パフォーマンス重視はマスコミ出身の黒岩祐治《ゆうじ》神奈川県知事や芸能界出身の森田健作千葉知事も小池知事もよく似たものですが、小池知事ほどバラマキはできないというだけの話。埼玉の大野元裕《おおのもとひろ》知事は、首都圏としての足並みを重視したことが独自性のなさと批判されているように思います。

首都圏の一角である山梨県の長崎幸太郎《ながさきこうたろう》知事は、昨年末に中国でペスト発生が伝えられると感染症対策の不備に気付き、春節の中国人観光客到来を念頭に対策を始めていました。コロナ発生以降は、重症者受け入れ態勢の充実は時間との戦いだと急ぎました。その際に悩んだのは「休業補償を出せ」という圧力でしたが、東京のように裕福ではないところでは出しても少額になるし、一部の業種しか対象にできませんし、医療体制の整備が犠牲になると頑張りました。そのかわり、「持続化給付金」を業種にかかわらず受け取れるように申請支援することに力を入れました。自身の給与を1円にしたのが、話題になりましたが、スタンドプレイではなく、バラマキを避けるために、あえて自分でまず身を切る姿勢が不可欠だったようです。

特色ある政策としては、保育園に預けず両親が仕事を休むことを援助したり、ドライブスルー検査などでPCR検査人口比全国一にする、マスクなどを県内で生産し安心と雇用と両方に役立てるなどし、今後もあらゆる感染症に強い体制を築き上げました。

北陸各県では、大都市から帰省した学生や出張者の持ち込みが起点になって人口の割に は感染者などが多いのですが、知事さんたちの失政という根拠はありません。新潟県では ドライブスルー検査をいち早く実施しましたが、これは、新型インフルエンザ流行時に泉《いずみ》田裕彦《だひろひこ》元知事がとりいれたものでしだ。

その一方、当初は対策に消極的でもたついていた大村秀章《おおむらひであき》愛知県知事は、河村《かわむら》たかし名古屋市長と喧嘩しなかっただけで「〇」、玉城《たまき》デニー沖縄県知事には不安点を並べながら「保留」です。反政権的な知事には忖度した甘い意見といえるでしょう。

武漢の友好都市・大分市長奮闘記

以上は、都道府県知事でしたが、市町村も今回は大事な役割を担いました。その中で、大分市を例にとってみましょう。なぜ大分かというと、もちろん理由があります。それは、大分市が武漢市と友好都市で人事交流などをしてきたこともあり、武漢の動向には注意を払ってきた都市だからです。

なにを目標とすべきか考えた佐藤樹一郎《さとうきいちろう》市長は、重篤者を出さないようにすることと、医療崩壊を避けることを目標としたそうです。そんな中で、「ラウンジ サザンクロス大分」という店で女性が感染し、幸い同僚の従業員には感染はなかったのですが、大分市がこの店の名前を公表したところ、下関市の40歳代の男性が名乗り出て感染していることがわかり、さらに、この男性の妻と子供も感染していることがわかりました。

誰から誰に感染したのか順番が確定はできないようですが、見当は付いているようです。幸い発見が早く、周辺の人たちにPCR検査をしましたし、客も驚いて名乗り出たので、感染拡大は防げたのです。

しかし、店の名を公表することは珍しくむしろ批判がありました。逆に多くの自治体がこうした場合に店の名前を公表しないし、それどころか、感染者がどういう人物かほとんど情報を公開しないところもあります。私の住む京都市でも、「京都の大学で留学生が」とか「〇〇区の飲食店」とかいうだけで、かえって不安が拡大するだけでした。

「感染症の予防及び感染症の患者に対する医療に関する法律」の第16条では、「感染症の発生の状況、動向及び原因に関する情報並びに当該感染症の予防及び治療に必要な情報を新聞、放送、インターネットその他適切な方法により積極的に公表しなければならない」とあり、正しい危機感をもっていれば店名や足取りの公表は当然だと思いますし、これを各自治体がしっかりやっていれば4月の感染拡大はなかったのではないでしょうか。

また、ＰＣＲ検査については、電話などでの問い合わせに応じる「発熱外来」を市内の医師会立病院に設け、さらに、感染可能性があると思われる人向けの「ＰＣＲ検査所」を別に大分城内に設けて、医師会の協力のもとに対応しました。

また、当初はＰＣＲ検査を県内では十分にまかなえなかったので、大分県の広瀬勝貞《かつさだ》知事の奔走もあって、福岡県や長崎県の検査機関に協力してもらっています。

市独自の施策としては、商店街の消毒など衛生管理、飲食店のテイクアウトへの取り組み支援、ホテルの水道代の減免などを展開し、10万円の交付金支給も、40万人以上の人口を抱える市としては最速クラスです。5月6日受付開始、11日振り込み（マイナンバーカード取得者の場合）にも成功したといいます。

オンライン申請された給付金10万円の支出が遅れている自治体は、無能をさらけ出したと思います。中には、「マイナンバーカードを使ってオンラインでやったら間違いが多いので、一つひとつ修正をかけなければならず、時間がかかるので文書にしてほしい」といっている自治体も多いようです。

たしかに、電子申請は1割ほどで間違いがあるのですが、ほとんどは軽微な間違いで、電話で聞いて修正再提出してもらうか役所で直してしまえば済むことです。

例によって、「一件たりとも間違いがあってはならない。しかも、すべて確認が終わってから一斉に」という小役人のいうことを首長が鵜呑みにした自治体がドジをふんでいるだけだったと思います。

あるいはオンラインで振込が先行すると文書で申請した人から苦情をいわれるので、わざとオンライン申請に混乱が出て文書と一緒にしかできないといっている可能性も否定できないでしょう。

マスクだって、ある程度のパーセンテージで不良品があったってよいわけです。いわゆるお役所仕事ではしばしば過剰品質を求めますが、こんな緊急時にバカなことでした。

一方で、市町村の独自政策の中には、なかなか面白いものもあります。滋賀県の甲賀市の岩永裕貴《ひろき》市長は、ネット教育の環境を持たない子供たちにiPadのような端末を配布することを提案するとのことですが、そういう思い切った決断をしないと教育現場でのネット利用も進まないと思います。

兵庫県の南あわじ市の守本憲弘《かずひろ》市長は、市民が市内の三密対策がきちんと取られたレストランで地元産品を使った料理を楽しむことに援助をして、観光客が戻ってくる日までに態勢を態勢を整えるそうですが、そういう前向きの方向性と市民救済を兼ねた政策は誉めるべきです。

市町村の地道な奮闘によって、成果に差はあるとはいえ、欧米のように都市のロックダウンもせず、韓国のような厳しい国民監視システムがないにもかかわらず、全体として世界で最低水準の死者数という成果をそれなりに挙げたといえます。一部の首長たちのパフォーマンスや「地方分権ごっこ」など、百害あって一利なしだったのです。

あとがき

中国・武漢での集団感染に始まる新型コロナウイルス騒動は、5月下旬の段階で世界の死者34万人、感染530万人超といわれます。大変な数ですが、過去に人類を襲ったパンデミックに比べてずば抜けて多いわけではありません。

ただ、流行が世界第二の経済大国である中国に始まり、ついで、欧米先進国が中心だったことや、感染力の強さや病状の残酷さで世界を恐怖のどん底に突き落としました。

日本では、1000人にも満たない死者であり、ほとんどが超高齢者ですから、インフルエンザの流行と変わらない水準です。なぜこの水準で収まったか定説はありません。

ただ、アジアでは致死率が低いことから、「BCGを接種したからではないか」という説明もあります。とくに旧西ドイツより旧東ドイツのほうが少ないので説得力があります。

日本では、中国発の感染が広く浅く拡がって、欧州発の凶暴なウイルスが来たときには免疫ができていたという説もそれなりの説得力がありますが、ひとつの仮説です。

旅行の制限、ソーシャル・ディスタンス（社会的距離）の確保がどこまで意味があったかも評価は定まりません。集団免疫を獲得すれば自ずから収まるからとくに厳しい対策はいらないという政策に徹したスウェーデンでは、やや高齢者の死者数は多いですが、ほかのヨーロッパ諸国と死亡率はたいして変わりません。

PCR検査は、検査の拡充が思うように進まなかったのは反省点ですが、それが流行の拡大につながったかは別です。精神衛生上の問題の域を出ないともいえ、その気やすめのために何兆円もかけて国民全員を検査しろというのは愚劣です。

韓国が欧州発の第二波を日本よりも防げたのは、欧米から出入国を制限されていたことと、厳しい国民監視システムで帰国者などの感染ルートの把握や自宅待機などが徹底できたおかげです。台湾や韓国では、マイナンバーカードの効率的な運用が徹底しています。日本はヨーロッパに比べても制度が機能していないので、私は、せめてヨーロッパ並みにと長年、訴え続けてきましたが、国民が台湾や韓国のように効率的に感染防止を望むなら、台湾や韓国の厳しい制度をそのまま丸ごと採り入れるようにするのも選択肢です。

一方、「自粛」やそれに伴う「補償」などは、コスト・パフォーマンスがあまりにも軽視されて人々の生活や日本経済に深い傷跡を残すでしょう。厳しい自粛措置については、結果から見れば、もっと緩やかでよかったかもしれませんが、3月に欧米からの波が押し寄せたときには、とりあえず、防御態勢をとるのが常識的だったと思います。

しかし、国民や企業の負担と、財政との関係においてもコスト・パフォーマンスがよい方法を選ぶ観点がもう少し必要だったとは思います。現実には、無駄に自粛させて、無駄なバラマキをやりすぎています。とくに飲食業で営業の態様でなく営業時間でしぼりをかけたのは、バカげており、そのことが、「補償要求」を呼び起こしました。

そもそも、安倍首相も「国民の皆さんにご迷惑をかけますが」などといっていたのは間違いだったと思います。なにも政府が国民に迷惑をかけるわけではなく、国民がみずからを守るために、指針を示しただけなのに、政府が謝ったりするから誤解が生じたのです。

また、経済的損失を被っていない人にまで支出をしたのも、国民の甘えを増長させたと思います。収入が減ってるわけでも、支出が増えているわけでもない人にお金を政府から渡す理由がありません。ただ、暗い気持ちを明るくする効果はあったかもしれません。

無駄なバラマキの背景には、MMT理論の流行があります。そもそもマクロ経済政策は景気循環を上手に制御する意味はありますが、長期的な経済成長はもたらしません。

日本は1970年代前半にヨーロッパ並みの社会福祉制度を確立しましたが、将来の経済成長を期待して財源対策を怠りました。ところが、オイルショックで高度経済成長が終わったので、1980年に大平内閣が一般消費税の導入を図りましたが失敗しました。その結果、社会福祉国家でありながら税金は安いということになりました。

その後は、行政改革をしたら財源が十分に出るといったり、二束三文でもいいから公有地を売るとか、国営企業を民営化するとか一時しのぎに走ったり、あるいは、世界中から突飛なマクロ経済理論を見つけては財政均衡から逃げてきました。

公共投資にしても、マクロ経済理論では投資の額だけ問題にして質を問いませんから、無駄な投資を繰り返しました。

私はもともと比較的、積極財政論派ですが、世界の常識の範囲でのことです。マクロ経済理論はいってみれば財テク論であって、当たるかどうかリスクがあるので、いくら正しいと力説されても過度に特定の理論に賭けるべきではないのです。

しかし、それ以上に大事だと思うのは、経済成長の源泉は新しい技術の開発だとか、楽しみの創出とか、付加価値を生むようなインフラ整備、効率のよいマネージメントや営業、そしてそういうものを生み出す人材の育成です（少子化対策もマクロでもミクロでもありませんが、最良の経済成長策であることはいうまでもありません）。

そうしたことを広い意味で「産業競争力の強化」と言い換えてもいいかと思います。具体的に私がここ半世紀近く提案してきたのは、例えば、ＩＴ化や国際化という動きに合致した人材を養成するための教育改革、優れた景観やグルメなども含む文化の創造、新都市の建設なども含む効率的なインフラの建設です。

その中でも最後の部分については、首都機能移転論を唱えて、村田敬二郎先生などの尽力で「国会等の移転に関する法律」の立法化にまでこぎ着けたのですが、守旧派の抵抗でお蔵入りの状態になっています。

そのころの仲間だった故・堺屋太一さんは、首都機能移転が頓挫したのち、つなぎという気持ちもあって「大阪都構想」を推進されていたのですが、晩年にお会いするたびに、「首都移転いつかまたやろうな」とおっしゃっていたものです。

また、首都移転に限らず、日本の主要都市はだいたい関ケ原の戦い前後に建設された城下町がベースですから老朽化しており、パッチワークで再開発するより、新都市建設をすることに非常な合理性があるのです。あるいは、とくに庁舎だとか学校だとか公共建築は、政治家が短期的な費用を気にして耐震工事をして間に合わせたりしていますが、新築したほうがＩＴへの対応やエネルギー効率からいって効率的なはずなのです。

教育についても、入試改革で会話など「四技能重視」にしようということすら守旧派の教育関係者につぶされる始末ですし、ＩＴ対応が韓国などに比べてすらひどい遅れようなのは、今回、露呈してしまいました。

ここ数十年も優秀な理系学生が医学部に集中しすぎるのも困ったもので、ＩＴなど本当に日本が必要としている分野では人材不足になっていますし、本当に医学に情熱があるわけでもない学生ばかり集めているから、コロナ対策も間が抜けたものになったのです。

美しい景観とか美味しい食事など文化力が経済を潤すことは、コロナ騒ぎ以前のインバウンド需要の高まりを見てもわかります。インバウンドはもういいとかいってる人もいますが、観光が日本にとって数少ない有望分野であることに変化はありません。

私はアベノミクスにおいても、第一の矢の金融とか第二の矢の財政とかいうより、第三の矢の「産業競争力の強化」が軽視されすぎだと主張してきました。今回のコロナ対策では、第二の財政出動が主役になっていますが、単なるバラマキ、衰退部門の延命などに傾斜しすぎで、将来の成長の芽を育てようという発想は極めて稀薄なのが心配です。

前向きの投資なら、いくら借金をしてやったっていいのですが、予想は外れるものですから、全体としての規模はほどほどにしておかねばなりません。企業だって身の丈に合わない投資をするわけにいかないのと同じですが、無駄な投資は額が少なくともやらないほうがいいに決まっています。穴を掘って埋めるのでも、しないよりましなこともありますが、それは例外です。

また、コロナ再発防止のためと称して、医療関係の投資には甘くなることが心配されますが、むしろ、人的にも経済的にもコストパフォーマンスがよい医療体制を追求してこそ実質的な対策になるはずです。遠隔医療、医師の独占領域の縮小、民間機関の参入、伝染病の専用検査所・出張検査・ドライブスルーの設置、軽症者のホテル入院、手書きやFAXになっている各種手続きのIT化など、いずれも有益な経験でした。

しかし、安倍内閣になってからも、大きな改革をしようとすると、各省庁と関係業界、族議員の猛抵抗にあっています。加計学園問題など、前川喜平元次官を中心に、守旧派が岩盤規制を守ることを正義のように言い立てただけです。

検事総長人事も、検察人事に政府がささやかな選択肢を持つことが不公正という印象操作がされています。具体的な事件については口出ししませんが、検事総長など主要人事は政治が決めて民主主義統制を守るという原則を否定するのは許しがたいのです。

現在の日本の司法は、カルロス・ゴーン事件やリクルート、ホリエモン、村上ファンドのように、これまで犯罪とされてこなかったことまで、検察が法律の解釈変更で犯罪だといって、逮捕して長期拘留し、自白を偏重し、起訴されたらほとんど有罪、たとえ無罪になっても長期の拘留で仕事は失ってしまう前近代的なもので、国際的批判を受けています。

もし、検事総長人事すら彼らの仲間内で決めるというのでは、永久に司法改革はできません。だから、民主党内閣時代には、仙谷由人氏が検事総長の民間登用を試みています。駐中国大使を財界人の丹羽宇一郎氏にしたのと同じです。そうした経緯を踏まえれば、野党が政府を批判するのは、まことにおかしいのです。

そして、今回のコロナ対策では、ＰＣＲ検査の拡充でも、アビガンの新薬認可でも安倍首相の強い意向があっても、専門家グループや厚生労働省も一体となったサボタージュのような動きがありました。もちろん、文部科学省も検察も厚生労働省も、それぞれのシマごとの論理はあるのですが、それを認めては、日本は再生できません。

そうした意味でも、これから、個人、企業、地方、国のいずれもが、未来指向型の質の高い政策を吟味しつつ積極的に展開することこそが、この国の将来に必要なのです。

令和2年5月吉日　八幡和郎

八幡 和郎 *Yawata Kazuo*

政治経済評論家・歴史家

滋賀県大津市出身。東京大学法学部を卒業後、1975年通商産業省（現・経済産業省）入省。入省後、フランス国立行政学院（ENA）留学。通商政策局北西アジア課長、大臣官房情報管理課長、国土庁長官官房参事官などを歴任し、1997年退官。2004年より徳島文理大学教授、国士舘大学大学院客員教授。『朝まで生テレビ！』『バイキング』など多くのメディアに出演。著書に『歴史の定説100の嘘と誤解』（扶桑社新書）、『365日でわかる世界史 世界200カ国の歴史を「読む事典」』（清談社Publico）、『日本人のための英仏独三国志』（さくら舎）、『令和日本史記』『ありがとう、「反日国家」韓国』（小社刊）など多数。

日本人がコロナ戦争の勝者となる条件

著　者　八幡 和郎（やわた かずお）

令和2年6月30日　初版発行

装　丁　紙のソムリエ
構　成　中野克哉
校　正　玄冬書林
編集協力　菅野徹

発行者　横内正昭
編集人　岩尾雅彦
発行所　株式会社 ワニブックス
〒150-8482
東京都渋谷区恵比寿4-4-9 えびす大黒ビル
電話　03-5449-2711（代表）
03-5449-2716（編集部）
ワニブックスHP　http://www.wani.co.jp/
WANI BOOKOUT　http://www.wanibookout.com/
WANI BOOKS NewsCrunch　https://wanibooks-newscrunch.com

印刷所　株式会社 光邦
ＤＴＰ　株式会社 三協美術
製本所　ナショナル製本

定価はカバーに表示してあります。
落丁本・乱丁本は小社管理部宛にお送りください。送料は小社負担にてお取替えいたします。ただし、古書店等で購入したものに関してはお取替えできません。

ISBN 978-4-8470-9929-8